NIEDERSÄCHSISCHES LANDESMUSEUM HANNOVER
LANDESGALERIE

Verzeichnis
der ausgestellten Gemälde
in der
Niedersächsischen Landesgalerie
Hannover

HANNOVER 1989

Katalogbearbeitung und redaktionelle Betreuung:
Meinolf Trudzinski
© 1989 Niedersächsisches Landesmuseum Hannover
Photographien: Karl-Heinz Uhe und Ursula Stamme
Herstellung: Th. Schäfer Druckerei GmbH, Hannover
ISBN 3-9800869-2-5

Die Niedersächsische Landesgalerie Hannover breitet in vierundvierzig Räumen rund neunhundert Jahre europäischer Kunstgeschichte vor dem Besucher aus; sie umfaßt eine reiche Vielfalt an Bildwerken, Altären und Gemälden vom frühen Mittelalter bis in den Anfang des 20. Jahrhunderts. Deutliche Schwerpunkte weist die Sammlung in der deutschen Kunst des 13. bis 15. Jahrhunderts auf, wobei hier vor allem Werke des niedersächsischen und thüringischen Raumes zusammengetragen wurden. Einer interessanten und stattlichen Gruppe von italienischen und deutschen Bildern der Renaissance tritt eine beachtliche und vielfältige Sammlung holländischer und vlämischer Werke des 17. Jahrhunderts zur Seite. Neuerdings gibt es auch eine Anzahl vortrefflicher venezianischer Gemälde des 18. Jahrhunderts. Die französische Kunst ist mit einigen Hauptmeistern des 17. Jahrhunderts und etlichen zumeist neuerworbenen Beispielen der Malerei zwischen Barbizon und dem Impressionismus eindrucksvoll vertreten. In der Kollektion der deutschen Kunst des 19. Jahrhunderts fehlt praktisch kein bedeutender Name; hier bildet die Malerschule von Worpswede naturgemäß einen Schwerpunkt. Die deutschen Impressionisten Liebermann, Slevogt und Corinth sind in keinem anderen Museum besser zu bewundern als in dieser Galerie.

Während die Malerei des 19. und 20. Jahrhunderts durch Ludwig Schreiner in einem zweibändigen Bestandskatalog 1973 eine eingehende wissenschaftliche Bearbeitung erfahren hat, die derzeit von Regine Timm revidiert wird, liegt das Erscheinen des wissenschaftlichen Katalogs der Gemälde alter Meister in der Landesgalerie nun 35 Jahre zurück. Die Tatsache, daß dieser durch Gert von der Osten bearbeitete Katalog vergriffen ist und der Abschluß einer wissenschaftlichen Neubearbeitung des Altmeister-Bestandes sich noch einige Jahre verzögern wird, hat uns bewogen, das Verzeichnis aller in der Sammlung der Landesgalerie gezeigten Gemälde neu herauszugeben.

Die wissenschaftlichen Bestandskataloge (auch der vorhandene Katalog der Bildwerke) berücksichtigen natürlich sowohl ausgestellte wie deponierte Kunstwerke. Bei diesem Verzeichnis hingegen ist bewußt auf die Aufnahme von Depotbildern verzichtet worden. Dies geschah zugunsten eines möglichst umfangreichen Abbildungsteils, der nahezu ein Drittel des ausgestellten Bestandes vorführt und damit dem Betrachter eine wesentliche optische Erinnerung an seinen Galeriebesuch zu bieten bemüht ist.

Das Verzeichnis wurde alphabetisch nach Künstlernamen geordnet; der farbige und der schwarzweiße Bildteil dagegen gliedern sich nach Schulen und Stilepochen. Die Katalogeintragungen beschränken sich auf den Meisternamen und den Bildtitel sowie auf Angaben über Maße, Technik, Signierung und Datierung des Bildes. Die Maßangaben erfolgen in Zentimetern, dabei steht jeweils Höhe vor Breite. Vermerke zur Technik werden nur dann gegeben, wenn es sich nicht um Ölmalerei handelt. Die Zuschreibungen und die Bildtitel des Altmeister-Kataloges von 1954 konnten nicht in jedem Falle beibehalten werden. Sie wurden dann geändert, wenn neuere Einsichten dies ratsam erscheinen ließen. So nimmt das Verzeichnis einige Erkenntnisse voraus, die erst in den in Vorbereitung befindlichen wissenschaftlichen Katalogen durch Forschungen belegt oder ausführlicher begründet werden können.

In den letzten Jahren konnten erfreulicherweise aus staatlichen Ankaufsmitteln sowie mit Hilfe des Förderkreises der Landesgalerie und privater Stifter wiederum eine Reihe bedeutender Werke für die Sammlung neu erworben werden. Die meisten dieser Gemälde sind hier abgebildet und werden damit zum ersten Mal durch einen Katalog einer breiten Öffentlichkeit bekannt gemacht.

Hans Werner Grohn

Inhalt

1. Antonio Veneziano, Thronende Madonna mit musizierenden Engeln

2. Bertram von Minden, Aus der Leidensgeschichte Christi
(Innenseite des linken Flügels des Passionsaltars)

3. Meister der Goldenen Tafel, Aus der Geschichte Christi und Mariä
(Außenseite des linken Innenflügels der Goldenen Tafel)

4. Hans Holbein II., Philipp Melanchthon

5. Hans Burgkmair I., Die Verlobung der hl. Katharina

6. Il Sodoma, Lucretia

7. Jacopo Pontormo, Der heilige Hieronymus als Büßer

8. Agnolo Bronzino, Jüngling in antiker Tracht

9. Bartholomäus Spranger, Bacchus und Venus

10. Pieter Lastman, Ruth erklärt Naëmi die Treue

11. Abraham Bloemaert, Schäferszene

12. Salomon van Ruisdael, Flußmündung mit befestigter Stadt

13. Rembrandt, Landschaft mit der Taufe des Kämmerers

14. Willem Claesz Heda, Stilleben

15. Wallerant Vaillant, Selbstbildnis als Krieger

16. Samuel van Hoogstraten, Mutter an der Wiege

17. Carel Fabritius, Frau mit Federbarett und Perlenschmuck

18. Peter Paul Rubens, Der Centaur Nessus entführt die Dejanira

19. Jacob Jordaens, ‚Heilige Sippe'

20. Richard Wilson, Der Po nahe Ferrara

21. Claude Lorrain, Flußlandschaft mit Ziegenhirt

22. Nicolas Poussin, Die Inspiration des Anakreon

23. Giovanni Battista Tiepolo, Die Wunderheilung des zornigen Sohnes

24. Francesco Guardi, Phantasielandschaft mit Bauwerken an der Lagune

25. Sebastiano Ricci, Archimedes verweigert dem römischen Soldaten den Gehorsam

26. Bernardo Bellotto, Venezianisches Capriccio mit Ansicht von Santa Maria dei Miracoli

27. Giovanni Paolo Pannini, Die Piazza Navona in Rom, unter Wasser gesetzt

28a, b. Caspar David Friedrich, Der Morgen und Der Mittag
29. Karl Blechen, Waldschlucht mit Rotwild

30. Wilhelm Trübner, Balgende Buben

31. Anselm Feuerbach, Kinderständchen

32. Franz von Lenbach, Bäuerin mit Kind

33. Paula Modersohn-Becker, Selbstbildnis mit Hand am Kinn

34. Paul Signac, Sta. Maria della Salute in Venedig

35. Alfred Sisley, Englische Küste

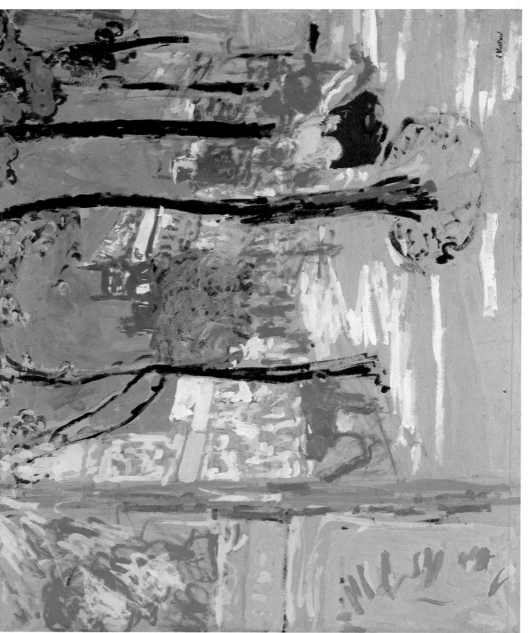

36. Edouard Vuillard, Boulevard des Batignolles

37. Claude Monet, Der Bahnhof Saint Lazare

38. Max Liebermann, Strand bei Noordwijk

39. Max Slevogt, Die Champagner-Arie aus ‚Don Giovanni'

40. Lovis Corinth, Der Künstler und seine Familie

ACHENBACH, ANDREAS
Kassel 1815 – 1910 Düsseldorf

EBBE, 1837
Leinwand   46,4 × 61
bezeichnet und datiert
Abb. 125

ACHENBACH, OSWALD
Düsseldorf 1827 – 1905 Düsseldorf

GEBIRGSTAL MIT REITERN
Leinwand   65,5 × 92,5
bezeichnet
Leihgabe

ITALIENISCHER PARK, 1851(?)
Papier auf Sperrholz   28,5 × 41
bezeichnet und datiert

ADAM, ALBRECHT
Nördlingen 1786 – 1862 München

NAPOLEON I. VOR REGENSBURG, 1840
Leinwand   90,5 × 122
bezeichnet und datiert

AHLBORN, WILHELM
Hannover 1796 – 1857 Rom

BLICK AUF DAS NEUE PALAIS IN POTSDAM, 1826
Leinwand   124,8 × 185
bezeichnet und datiert
Abb. 116

SELBSTBILDNIS MIT BRUDER, 1827
Leinwand, runder Bildausschnitt ∅ 43–43,5
bezeichnet und datiert

DER TEMPEL VON KÔM OMBO IN ÄGYPTEN, 1830
Leinwand   37,2 × 46,5
bezeichnet und datiert

KÜSTENLANDSCHAFT AM GOLF VON NEAPEL,
1832
Leinwand   24 × 80,2
bezeichnet und datiert

ALT, THEODOR
Döhlau bei Hof (Oberfranken) 1846 – 1937 Ansbach

HANDSTUDIE (Hand des Architekten
Anton Wingen), 1867
Leinwand   15,5 × 29
bezeichnet

SIEBENSCHLÄFER, 1871
Leinwand   55,7 × 67,7
bezeichnet und datiert

AMERLING, FRIEDRICH VON
Wien 1803 – 1887 Wien

MÄNNLICHES BILDNIS MIT ZYLINDER
Leinwand   51,5 × 41,5
Leihgabe

ANTONIAZZO ROMANO, Art des
tätig in Rom 1460 – 1508

SEGNENDER GOTTVATER
Tempera/Pappelholz, oberer Bildabschluß
spitzwinklig, eingezogen   82 × 42

ANTONIO VENEZIANO
nachweisbar 1370 – 1388 in Siena

THRONENDE MADONNA MIT MUSIZIERENDEN
ENGELN
Tempera/Pappelholz, oberer Bildabschluß
spitzbogig   94 × 64
Farbtafel 1

APOLLONIO DI GIOVANNI
Florenz 1415 – 1465(?)

DIE ANKUNFT DES ÄNEAS BEI DIDO

DAS GASTMAHL UND DIE JAGD DER DIDO

Vorderwände von zwei Hochzeitstruhen
Gegenstücke
Tempera/Holz   je 67 × 188,
Bildfeld je 42,5 × 164
Abb. 16

AVERCAMP, HENDRIK
Amsterdam 1585 – 1634 Kampen

WINTERLANDSCHAFT
Eichenholz   27 × 50
bezeichnet

BAEGERT, JAN
Wesel um 1465 – um 1527

KOPF EINES JUNGEN MANNES
Eichenholz,   Rundbild ⌀ 14,8

BALDASSARE D'ESTE
Reggio d'Emilia 1437 – 1504 Ferrara

GALEOTTO I. PICO DELLA MIRANDOLA
(1422 – 1498)

BIANCA MARIA D'ESTE (1440 – 1506), GEMAHLIN
GALEOTTOS I.

Gegenstücke
Tempera/Leinwand   je 189 × 114
Abb. 17 a und b

BALDUNG, HANS Werkstatt
Schwäbisch Gmünd(?) 1484/5 – 1545 Straßburg

RECHTER SCHÄCHER EINER KREUZIGUNG,
um 1512
Fichtenholz   60 × 24,2

BANTZER, CARL
Ziegenhain 1857 – 1941 Marburg

BILDNIS DES JOHANN HEINRICH FALCK, 1902
Leinwand   70 × 64
bezeichnet und datiert

BASSEN, BARTHOLOMEUS VAN
Den Haag 1590 – 1652 Den Haag

DAS GLEICHNIS VOM ARMEN LAZARUS, 1624
Eichenholz   55,4 × 86,3
bezeichnet und datiert

BAUM, PAUL
Meißen 1859 – 1932 San Gimignano

ANSICHT VON SAN GIMIGNANO
Holz   58 × 67,3
bezeichnet

BELLOTTO, BERNARDO
Venedig 1721 – 1780 Warschau

VENEZIANISCHES CAPRICCIO MIT ANSICHT
VON SANTA MARIA DEI MIRACOLI
Leinwand   41 × 66
Leihgabe
Farbtafel 26

BERCHEM, CLAES
Haarlem 1620 – 1683 Amsterdam

HIRTEN IM MONDSCHEIN BEI FACKELLICHT, 1652
Holz   32 × 24
bezeichnet und datiert
Abb. 79

HERBSTLANDSCHAFT MIT EICHENWALD,
um 1650 – 60
Leinwand   106 × 153,2
bezeichnet
Abb. 83

BERCKHEYDE, GERRIT ADRIAENSZ
Haarlem 1638 – 1698 Haarlem

ANSICHT VON ST. MARIA IM KAPITOL ZU KÖLN,
1672
bezeichnet und datiert

ANSICHT VON ST. PANTALEON UND ST. GEREON
ZU KÖLN, 1672
bezeichnet

Gegenstücke
Holz   je 30,5 × 37
Abb. 78 a und b

BERTRAM VON MINDEN
Minden (?) um 1340 – 1414/15 Hamburg

DER PASSIONSALTAR, um 1390 – 1400
DIE PASSION CHRISTI (geöffneter Zustand)
VERKÜNDIGUNG AN MARIA, KRÖNUNG MARIÄ
(geschlossener Zustand)
Flügelaltar
Tempera auf Goldgrund/Eichenholz

Mittelfeld 124 × 229
Flügel je 124 × 114
Aus der Johanniskirche zu Hamburg (?)
Farbtafel 2
Abb. 2 und 3

BEYEREN, ABRAHAM VAN
Den Haag 1620/1 – 1690 Overschie

BANK EINES FISCHHÄNDLERS
Leinwand   98 × 86
bezeichnet

BLANC, LOUIS AMMY
Berlin 1810 – 1885 Düsseldorf

DIE KIRCHGÄNGERIN, 1834
Leinwand   112 × 78
bezeichnet und datiert
Abb. 121

BLECHEN, KARL
Cottbus 1798 – 1840 Berlin

FRIEDHOFSSTILLE, 1823/28
Leinwand   25 × 29,5

WALDSCHLUCHT MIT ROTWILD, 1828
Leinwand   99,7 × 82
Leihgabe
Farbtafel 29

DER TIBERIUSFELSEN AUF CAPRI, 1828 – 29
Papier auf Leinwand   20,5 × 30

BADENDE MÄDCHEN IM PARK VON TERNI, 1834
Leinwand auf Sperrholz   99,7 × 76,5
Abb. 114

BLOEMAERT, ABRAHAM
Dordrecht 1564 – 1651 Utrecht

SCHÄFERSZENE, 1627
Leinwand   60 × 74,5
bezeichnet und datiert
Farbtafel 11

ANBETUNG DER HIRTEN
Leinwand   143,2 × 171,6
bezeichnet

BÖCKLIN, ARNOLD
Basel 1827 – 1901 San Domenico bei Fiesole

FAUN, EINER AMSEL ZUPFEIFEND, um 1864 – 65
Leinwand   48,8 × 49
bezeichnet

TRITON, AUF EINER MUSCHEL BLASEND
Holz   80,8 × 54,5
bezeichnet
Leihgabe
Abb. 132

BOTTICELLI, SANDRO
Florenz 1445 – 1510 Florenz

VERKÜNDIGUNG
Tempera/Pappelholz   36,5 × 35
Abb. 15

BOTTICELLI, SANDRO und Werkstatt

MARIA, DAS KIND ANBETEND
Holz   70 × 57,5
Leihgabe

BOUDIN, EUGÈNE
Honfleur 1824 – 1898 Paris

DER PONT CORNEILLE ZU ROUEN IM NEBEL,
1895
Leinwand   40 × 55
bezeichnet und datiert
Abb. 148

BOUTS, DIERICK Nachfolger
Haarlem um 1420 – 1475 Löwen

MARIA MIT DEM KIND
Eichenholz   35,5 × 23,5

ECCE HOMO

SCHMERZENSMUTTER

Gegenstücke
Eichenholz   je 12,8 × 8,9

BRAMER, LEONARD
Delft 1596 – 1674 Delft

DIE HANDWASCHUNG DES PILATUS, um 1645
Eichenholz   58 × 45
Leihgabe

BRAND I., CHRISTIAN HILFGOTT
Frankfurt (Oder) 1695 – nach 1756 Wien

ANSICHT DER STADT WIEN IM JAHRE 1735
Leinwand   200 × 245
bezeichnet

BREENBERGH, BARTHOLOMEUS
Deventer 1599 – 1657 Amsterdam

LANDSCHAFT MIT ANTIKER RUINE
(MINERVA MEDICA), 1637
Eichenholz   17,2 × 24
bezeichnet und datiert

BREU I., JÖRG
Landshut (?) 1475/80 – 1537 Augsburg

BILDNIS EINES BARTLOSEN JUNGEN MANNES
Fichtenholz   43 × 32,4
Abb. 35

BREYDEL, KAREL
Antwerpen 1678 – 1733 Antwerpen

REITERSCHLACHT
Kupfer   10,8 × 15,5

BRIL, PAUL
Antwerpen 1554 – 1626 Rom

LANDSCHAFT MIT WASSERFALL UND DEM
VESTATEMPEL VON TIVOLI, 1626
Leinwand   74 × 101
bezeichnet und datiert
Abb. 48

BROMEIS, AUGUST
Wilhelmshöhe 1813 – 1881 Kassel

STUDIE IN DEN PONTINISCHEN SÜMPFEN, 1846
Pappe   25,5 × 35
bezeichnet und datiert

BRONZINO, AGNOLO
Monticelli bei Florenz 1503 – 1572 Florenz

JÜNGLING IN ANTIKER TRACHT, um 1545
Pappelholz, oval   58,8 × 45
Farbtafel 8

BROUWER, ADRIAEN
Oudenaarde 1605/6 – 1638 Antwerpen

DER LÄUSEKNACKER
Eichenholz   24,2 × 18,9
Leihgabe
Abb. 66

BRÜCKE, WILHELM
Stralsund 1800 – 1874 Berlin

ANSICHT DES KAPITOLS IN ROM, 1835
Leinwand   57,5 × 49,8
bezeichnet und datiert

DAS PALAIS FRIEDRICH WILHELMS III.
IN BERLIN, 1841
Leinwand   80 × 116
bezeichnet und datiert
Abb. 117

ANSICHT DER NEUEN WACHE IN BERLIN, 1842
Leinwand   70,7 × 106
bezeichnet und datiert

BRUEGHEL I., JAN
Brüssel 1568 – 1625 Antwerpen

VOR DER DORFSCHÄNKE, 1591
Kupfer   22,3 × 29,7
bezeichnet und datiert

RÜCKKEHR VOM MARKT (RHEINGEGEND), 1600
Kupfer   22 × 29,5
bezeichnet und datiert
Abb. 50a

BEWALDETE LANDSCHAFT, 1603
Kupfer   19,7 × 25,7
bezeichnet und datiert
Abb. 50b

FLUSSLANDSCHAFT MIT VORNEHMER
GESELLSCHAFT IM BOOT

BELEBTE LANDSTRASSE MIT WIRTSHAUS

Gegenstücke
Kupfer   Rundbilder   ⌀ je 12,4

FLUSSLANDSCHAFT MIT DORF
Kupfer   12,7 × 18,9

BRUEGHEL I., JAN Art des

LANDSCHAFT MIT WINDMÜHLE UND HANDELS-
LEUTEN, nach 1611
Kupfer   11,7 × 17,5

BRUEGHEL II., JAN
Antwerpen 1601 – 1678 Antwerpen

DORFSTRASSE MIT TEICH (im Sommer)
Eichenholz   45 × 71,5

BRUYN I., BARTHOLOMÄUS
Köln oder Wesel 1493 – 1555 Köln

BILDNIS EINES 39JÄHRIGEN MANNES, 1539
Eichenholz   43 × 32,4
datiert

BILDNIS EINES STIFTERS

BILDNIS EINER STIFTERIN

Gegenstücke, Altarflügelfragmente
Eichenholz   je 39 × 22,5
Abb. 39a und b

BUCHHOLZ, KARL
Schloßvippach bei
Weimar 1849 – 1889 Oberweimar

LANDSCHAFT, um 1875
Leinwand auf Pappe   12,8 × 24,7
bezeichnet

BÜRKEL, HEINRICH
Pirmasens 1802 – 1869 München

VOR DER SCHMIEDE
Leinwand   54 × 77
bezeichnet
Leihgabe

BURGKMAIR I., HANS
Augsburg 1473 – 1531 Augsburg

DIE VERLOBUNG DER HL. KATHARINA, 1520
Lindenholz   61 × 52
bezeichnet und datiert
Farbtafel 5

BURY, FRIEDRICH
Hanau 1763 – 1823 Aachen

BILDNIS GERHARD JOHANN DAVID
VON SCHARNHORST (1755 – 1813)
Leinwand   70,5 × 57

BUSCH, WILHELM
Wiedensahl 1832 – 1908 Mechtshausen

GROSSE HERBSTLANDSCHAFT MIT KÜHEN
Papier auf Pappe   31 × 48,5
Abb. 142

BUSSE, GEORG
Bennemühlen 1810 – 1868 Hannover

GRIECHISCHE LANDSCHAFT, 1862
Holz   31,5 × 40,5
bezeichnet und datiert

BYLERT, JAN VAN
Utrecht 1598 – 1671 Utrecht

DIE FÜNF SINNE, um 1630
Leinwand   154,3 × 185,8
bezeichnet
Abb. 75

CAMPHUYSEN, JOACHIM
Gorinchem 1601 – 1659 Amsterdam

DIE HEIMKEHR DES JUNGEN TOBIAS
Eichenholz   48,5 × 64,7

CARPI, GIROLAMO DA zugewiesen
Ferrara 1501 – 1556 Ferrara

JOHANNITERRITTER
Pappelholz   68,5 × 54,3
Abb. 43

CARRIERA, ROSALBA
Venedig 1675 – 1757 Venedig

HERRENPORTRÄT MIT MASKE
Pastell/Papier auf Leinwand   58,8 × 46,1
Abb. 105

CARUS, CARL GUSTAV
Leipzig 1789 – 1869 Dresden

DER ABEND, um 1820
Leinwand   81 × 61,4
bezeichnet

NEAPEL MIT MONTE SOMMA UND VESUV, 1831
Leinwand   47,2 × 38,2
bezeichnet und datiert
Abb. 115

CATEL, FRANZ LUDWIG
Berlin 1778 – 1856 Rom

BRUNNEN IM PARK
Papier auf Pappe   36,3 × 26,7

CIONE, JACOPO DI (?)
tätig in Florenz 1365 – 1398

THRONENDE MADONNA MIT HEILIGEN
Tempera/Pappelholz, oberer Bildabschluß
spitzwinklig, eingezogen   45 × 22,5

CLERCK, HENDRICK DE
Brüssel (?) um 1570 – 1630 Brüssel

CHRISTUS AM KREUZ
Leinwand   87 × 68,5

CLEVE, JOOS VAN
tätig in Antwerpen 1510 – 1540

MUTTERGOTTES, DAS KIND STILLEND
Eichenholz,   Rundbild ⌀ 16,5

CODAZZI, VIVIANO
Bergamo 1603 – 1672 Rom
und MIEL, JAN
Antwerpen 1599 – 1663 Turin

RÖMISCHE RUINEN, um 1650
Leinwand   47,6 × 37,5

CODDE, PIETER
Amsterdam 1599 – 1678 Amsterdam

RAUFEREI
Eichenholz   27,9 × 24
Abb. 67

COFFERMANS, MARCELLUS
tätig in Antwerpen ab 1549; – nach 1575

HL. ANNA SELBDRITT
Eichenholz   46,5 × 35,5

CORINTH, LOVIS
Tapiau (Ostpreußen) 1858 – 1925 Zandvoort

DAMENBILDNIS IM RECHTSPROFIL, 1886
Leinwand   81 × 65,7
bezeichnet und datiert

PADDEL-PETERMANNCHEN (CHARLOTTE BEREND)
AM STRAND, 1902
Leinwand   83 × 60
bezeichnet

DIE NACKTHEIT, 1908
Leinwand   119 × 168
bezeichnet und datiert

DER KÜNSTLER UND SEINE FAMILIE, 1909
Leinwand   175 × 166
bezeichnet und datiert
Farbtafel 40

FRAU LUTHER, 1911
Leinwand   115,5 × 86
bezeichnet und datiert
Abb. 155

REITER IN NIENDORF, 1912
Leinwand   85,5 × 100,5
bezeichnet und datiert

ITALIENERIN IN GELBEM STUHL, 1913
Leinwand   90,5 × 70,5
bezeichnet und datiert

KEGELBAHN, 1913
Leinwand   83,2 × 61
bezeichnet und datiert

RÖMISCHE CAMPAGNA, 1914
Leinwand   71,5 × 96,5
bezeichnet und datiert

BILDNIS DES APOTHEKERS OTTO WINTER, 1916
Leinwand   90,6 × 61,2
bezeichnet und datiert

GROSSMUTTER UND ENKELIN, 1919
Leinwand   81,3 × 60,3
bezeichnet und datiert
Leihgabe

CHRYSANTHEMEN UND KALLA, 1920
Leinwand   70 × 60
bezeichnet und datiert

DAME IM PELZMANTEL, 1921
Leinwand   104,8 × 80,4
bezeichnet und datiert

GARTEN IN URFELD AM WALCHENSEE, 1923
Lindenholz   32,6 × 44,2
bezeichnet und datiert

SUSANNA UND DIE BEIDEN ALTEN, 1923
Leinwand   150,5 × 111
bezeichnet und datiert
Abb. 157

WALCHENSEE MIT ABHANG DES JOCHBERGES,
1924
Leinwand   72 × 92,3
bezeichnet und datiert
Abb. 158

WILHELMINE MIT KATZE, 1924
Leinwand   70,5 × 50,4
bezeichnet und datiert

CORNEILLE DE LYON
Den Haag um 1500 – nach 1574 Lyon

BILDNIS EINES JUNGEN MANNES
Nußholz   17,5 × 15
Abb. 42

CORNELIS VAN HAARLEM
Haarlem 1562 – 1638 Haarlem

WEIBLICHER HALBAKT MIT ROSE, 1623
Eichenholz   61 × 45
bezeichnet und datiert
Abb. 69

MARS UND VENUS, 1623
Eichenholz   32 × 41
bezeichnet und datiert

COROT, CAMILLE
Paris 1796 – 1875 Paris

DER TEICH VON VILLE-D'AVRAY AM ABEND,
1845 – 50
Leinwand   33 × 61,5
bezeichnet
Abb. 144

COSWAY, RICHARD
Okeford 1742 – 1821 London

KNABE NEBEN EINER HOMERBÜSTE
Leinwand   32,5 × 24,5
bezeichnet

COURBET, GUSTAVE
Ornans 1819 – 1877 La Tour-de-Peilz

‚HIRSCH IN BEDRÄNGNIS‘, 1869
Leinwand   78 × 57
bezeichnet und datiert
Abb. 147

CRANACH I., LUCAS
Kronach 1472 – 1553 Weimar

VENUS MIT AMOR
Holz   172 × 90
bezeichnet
Abb. 33

KREUZIGUNG CHRISTI
Lindenholz   40,5 × 26,5
Abb. 36

CHRISTUS UND JOHANNES ALS KINDER
Lindenholz   29 × 19

BILDNIS MARTIN LUTHERS, 1528
bezeichnet und datiert

BILDNIS KATHARINA VON BORA, 1528

Gegenstücke
Holz   je 37,5 × 24

LUCRETIA, 1535
Lindenholz   51,7 × 34,8
bezeichnet und datiert
Abb. 34

MARTIN LUTHER AUF DEM TOTENBETT, 1546
Lindenholz   34,5 × 21,5
bezeichnet
Abb. 37

CRANACH I., LUCAS Werkstatt

DIE MARTER DER SIEBEN SÖHNE
DER HL. FELICITAS
Zwei Altarflügel
Lindenholz   je 151 × 45

CREDI, LORENZO DI
Florenz um 1458 – 1537 Florenz

BILDNIS DES FRANCISCUS ALUMNUS
Pappelholz   44 × 34
Abb. 23

CRESPI, GIUSEPPE MARIA
Bologna 1665 – 1747 Bologna

DIE BÜSSENDE MAGDALENA
Leinwand   91,1 × 66,3
Abb. 96

CRISTUS, PETRUS zugewiesen
tätig in Brügge; – 1473

BETENDER CHORHERR
Altartafelfragment
Eichenholz   32 × 23,5

CROLA, GEORG HEINRICH
Dresden 1804 – 1879 Ilsenburg

DER ROSENLAUI-GLETSCHER, 1853
Papier auf Pappe   41,8 × 57,5
bezeichnet und datiert

CUYP, BENJAMIN GERRITSZ
Dordrecht 1612 – 1652 Dordrecht

VERKÜNDIGUNG AN DIE HIRTEN
Leinwand   134 × 171
bezeichnet

DAHL, JOHAN CHRISTIAN
Bergen (Norwegen) 1788 – 1857 Dresden

NÄCHTLICHE ANSICHT VON DRESDEN, 1841
Leinwand   26,5 × 34,5
bezeichnet und datiert
Abb. 126

DÄHLING, HEINRICH ANTON
Hannover 1773 – 1850 Potsdam

KÄTHCHEN VON HEILBRONN UND DER
GRAF WETTER VOM STRAHL, um 1825
Leinwand   53,5 × 49,7

DAUBIGNY, CHARLES FRANÇOIS
Paris 1817 – 1878 Paris

IM GARTEN, vor 1860
Leinwand   71,5 × 49
bezeichnet
Abb. 146

DEFFREGGER, FRANZ VON
Stronach (Tirol) 1835 – 1921 München

STUDIENKOPF EINES BÄRTIGEN MANNES MIT
PFEIFE
Leinwand   45 × 32
bezeichnet

DELEN, DIRCK VAN
Heusden 1605 – 1671 Arnemuyden

BLICK IN EINE OFFENE HALLE, 1641
Eichenholz   48,5 × 66,4
bezeichnet und datiert

DENIS, MAURICE
Granville (Manche) 1870 – 1943 Paris

SAN GIMIGNANO, um 1907
Pappe auf Sperrholz   38,5 × 54
bezeichnet

L'ETÉ (DER SOMMER), um 1910
Pappe   37 × 50
bezeichnet

MONSÙ DESIDERIO,
eigentlich FRANÇOIS DE NOMÉ
Metz um 1593 – vor 1650 Neapel

KÖNIG SALOMO IM TEMPEL
Leinwand   78,5 × 105
Abb. 45

DESSOULAVY, THOMAS
tätig in Rom und London um 1829 – 48

DIE VILLA RAFFAEL IN ROM
Leinwand   25 × 35

DEUTSCH, 2. Hälfte 19. Jahrhundert

PFLANZEN AM BACH
Leinwand   16,7 × 27,6

DEUTSCH, um 1920/30

BAUERNHÄUSER IM MONDLICHT, um 1920 – 30
Leinwand   14,7 × 21,4

DEUTSCHER MONOGRAMMIST B. v. K.

MÄDCHEN IM GRÜNEN, 1836
Leinwand, oberer Bildabschluß
halbrund   75,8 × 63
bezeichnet und datiert
Leihgabe

DIAZ DE LA PEÑA, NARCISSE VIRGILE
Bordeaux 1808 – 1876 Menton

LIEBESPAAR, um 1840
Holz (Mahagoniart)   32,2 × 24,6
bezeichnet

DIES, ALBERT CHRISTOPH
Hannover 1755 – 1822 Wien

DAS FORUM ROMANUM VOR DER AUSGRABUNG
Leinwand auf Zedernholz   51 × 79,2

DIETRICY, CHRISTIAN WILHELM
Weimar 1712 – 1774 Dresden

DAMENBILDNIS
Eichenholz 36 × 27,6

DAME MIT STROHHUT
Eichenholz   37 × 27,6
Abb. 107

Gegenstücke

SÜDLICHE LANDSCHAFT (NACH MARCO RICCI)
Leinwand   42 × 58,5

DIEZ, WILHELM VON
Bayreuth 1839 – 1907 München

KRIEGSZEITEN, um 1870
Holz   21,2 × 15,9

DIZIANI, GASPARE
Belluno 1689 – 1767 Venedig

DER EINZUG CHRISTI IN JERUSALEM
Leinwand   54,7 × 108

DOBIASCHOFSKY, FRANZ
Wien 1818 – 1867 Wien

MÄNNLICHES BILDNIS, 1836
Leinwand   73,7 × 59,5
bezeichnet und datiert
Leihgabe

DOMENICHINO,
eigentlich DOMENICO ZAMPIERI
zugewiesen
Bologna 1581 – 1641 Neapel

DIE VERTREIBUNG AUS DEM PARADIES
Kupfer   22 × 28

DOU, GERARD
Leiden 1613 – 1675 Leiden

BILDNIS EINES MOHREN
Eichenholz   43,4 × 33,9
bezeichnet
Abb. 73

DUCK, JACOB
Utrecht um 1600 – um 1660 Den Haag

KIRCHENINNERES ALS WACHTSTUBE
Holz   33 × 45
bezeichnet
Leihgabe

DÜCKER, EUGÈNE GUSTAV
Arensburg auf Ösel (Livland) 1841 – 1916
Düsseldorf

STRAND AUF RÜGEN, 1885
Leinwand   60 × 46
bezeichnet und datiert

DÜRER, ALBRECHT zugewiesen
Nürnberg 1471 – 1528 Nürnberg

KREUZTRAGUNG CHRISTI, um 1500
Tempera und Öl/Leinwand   129,5 × 110
Abb. 26

DUJARDIN, KAREL
Amsterdam 1622 – 1678 Venedig

ITALIENISCHE HIRTEN AM BRUNNEN
Leinwand   66 × 58
bezeichnet
Leihgabe

BILDNIS EINES VORNEHMEN HERRN, 1666
Leinwand   128,5 × 103,8
bezeichnet und datiert
Abb. 84

DUYSTER, WILLEM CORNELISZ
Amsterdam 1599 – 1635 Amsterdam

DER POLNISCHE EDELMANN
Eichenholz   51 × 37,5
Abb. 80

DYCK, ABRAHAM VAN
Alkmaar (?) 1636 – 1672 Amsterdam

BETENDE FRAU
Holz   47 × 43
Leihgabe

DYCK, ANTHONIS VAN
Antwerpen 1599 – 1641 London

HERR VON SANTANDER,
GOUVERNEUR VON ANTWERPEN
Leinwand auf Pappe   104 × 73
Abb. 56

APOSTEL PAULUS
Holz   64 × 51
Abb. 54

HEILIGER RITTER (GEORG?)
Holz   65 × 49
Leihgabe

ELSNER, JAKOB
tätig in Nürnberg; – 1517 Nürnberg

BILDNIS DES JÖRG KETZLER (1471 – 1529)?, 1507
Pergament auf Eichenholz   39,3 × 28
datiert

ENDE, HANS AM
Trier 1864 – 1918 Stettin

ZIEGE IM HAUSGARTEN
Leinwand   96 × 135
bezeichnet

ES, JACOB VAN
Antwerpen 1596 – 1666 Antwerpen

BLUMENSTILLEBEN
Eichenholz   51 × 36
bezeichnet
Abb. 58

EVERDINGEN, ALLART VAN
Alkmaar 1621 – 1675 Amsterdam

LANDSCHAFT MIT WASSERFALL UND ANGLER,
1648
Leinwand   85 × 70
bezeichnet und datiert
Leihgabe

FABRITIUS, CAREL
Midden-Beemster 1622 – 1654 Delft

FRAU MIT FEDERBARETT UND PERLENSCHMUCK,
1654
Leinwand   66 × 57
bezeichnet und datiert
Farbtafel 17

FANTIN-LATOUR, HENRI THÉODORE
Grenoble 1836 – 1904 Buré

SELBSTBILDNIS, 1858
Leinwand   27 × 22
Abb. 151

FEARNLEY, THOMAS
Fredrickshald 1802 – 1842 München

KOPENHAGEN VON DER SEESEITE, um 1832
Papier   17 × 31,8

FERGUSSON, JOHN DUNCAN
Atholl 1874 – 1961 Glasgow

SITZENDE DAME IM ATELIER, 1907
Papier auf Pappe   36 × 40,5
bezeichnet

FEUERBACH, ANSELM
Speyer 1829 – 1880 Venedig

DAS MÄDCHEN MIT DEM TOTEN VOGEL, 1854
Leinwand   99 × 80,7
bezeichnet

KINDERSTÄNDCHEN, 1860
Leinwand   116 × 231
bezeichnet und datiert
Farbtafel 31

NANNA, 1864
Leinwand   61 × 47,2
bezeichnet und datiert

MEER BEI ANZIO, um 1866
Leinwand   94 × 115
bezeichnet

SELBSTBILDNIS, 1878
Leinwand auf Pappe   78,6 × 60,6
bezeichnet und datiert
Abb. 134

FIORENZO DI LORENZO
Perugia um 1440 – um 1522/5 Perugia

HL. PETRUS, um 1480 – 85
Tempera/Pappelholz   113 × 41

FLORENTINISCH (?), um 1500

CHRISTUS MIT DEN WUNDMALEN
Tempera/Pappelholz, oberer Bildabschluß
stumpfwinklig   18,2 × 12

FRANCKEN II., FRANS
Antwerpen 1581 – 1642 Antwerpen

KREUZIGUNG CHRISTI
Eichenholz   74,3 × 105,8
bezeichnet
Abb. 52

FRANCKEN III., FRANS
Antwerpen 1607 – 1667 Antwerpen

DAS GASTMAHL DES BELSAZAR
Eichenholz   82,7 × 137
Abb. 53

FRIEDRICH, CASPAR DAVID
Greifswald 1774 – 1840 Dresden

BILDNIS EINES ÄLTEREN MANNES, 1809
Leinwand auf Pappe   51,7 × 42,3

DER MORGEN (AUSFAHRENDE BOOTE),
nach 1815
Leinwand   22 × 30

FOLGE DER „VIER TAGESZEITEN", um 1821
1. DER MORGEN
Leinwand   22 × 30,7
Farbtafel 28a

2. DER MITTAG
Leinwand   21,5 × 30,4
Farbtafel 28 b

3. DER NACHMITTAG
Leinwand   22 × 30,7

4. DER ABEND
Leinwand   22 × 31

FRIEDRICH, HARALD
Dresden 1858 – 1933 Hannover

BILDNIS DES VATERS ADOLF FRIEDRICH, 1878
Pappe   22 × 18,5

BILDNIS DER MUTTER, 1878
Pappe   22 × 19

Gegenstücke, beide bezeichnet und datiert

STRICKENDE FRAU UND MÄDCHEN AM GEBIRGS-
BACH, um 1910 – 20
Leinwand   29,6 × 22,6

FYT, JAN
Antwerpen 1611 – 1661 Antwerpen

STILLEBEN MIT VÖGELN UND KATZE
Leinwand   67,5 × 76,5

GAROFALO, eigentlich BENVENUTO TISI
Ferrara 1481 – 1559 Ferrara

FLUCHT NACH ÄGYPTEN
Pappelholz, oberer Bildabschluß halbrund
240 × 147
bezeichnet
Leihgabe

GAUERMANN, FRIEDRICH
Miesenbach 1807 – 1862 Wien

ZIEGENMELKERIN, nach 1845
Holz   31,7 × 26
bezeichnet

GEEL, JACOB JACOBSZ VAN
Middelburg 1584/85 – nach 1637 Dordrecht

LANDSCHAFT MIT DER RUHE AUF DER FLUCHT,
1633
Holz   30 × 38,5
bezeichnet und datiert
Abb. 64

GEISMAR, HANS VON
tätig in Göttingen 1493 – 1502

BARTHOLOMÄUSLEGENDE (erster geöffneter Zu-
stand)
MARTER DER ZEHNTAUSEND UND TOD
DER HL. URSULA (geschlossener Zustand)
Wandelaltar mit zwei Flügelpaaren,
innen Schnitzwerke
Tempera/Eichenholz   je Flügel 155 × 88
Aus St. Jacobi zu Einbeck

GELDER, AERT DE
Dordrecht 1645 – 1727 Dordrecht

BILDNIS EINES JUNGEN MANNES, um 1700
Leinwand   85,3 × 73
bezeichnet
Abb. 88

GHISOLFI, GIOVANNI
Mailand 1623 – 1683 Mailand
und ROSA, SALVATOR
Aranella 1615 – 1673 Rom

DER AUFBAU DES STADTTORES VON KARTHAGO
Leinwand   120 × 115,5
Abb. 97

GILLE, CHRISTIAN FRIEDRICH
Ballenstedt 1805 – 1899 Wahnsdorf

DIE BRÜHLSCHE TERRASSE IN DRESDEN, 1862
Leinwand auf Hartfaserplatte   33,7 × 52,7
bezeichnet und datiert

GIOVANE, FRANCESCO
1611 – 1669, tätig in Rom

ERMINIA SUCHT BEI DEN HIRTEN ZUFLUCHT

NARZISSUS AN DER QUELLE

Gegenstücke
Holz   Rundbilder ⌀ je 16,5
Abb. 93a und b

GIOVANNI FRANCESCO DA RIMINI
tätig 1441 – gegen 1470

IMAGO PIETATIS MIT MARIA, JOHANNES
UND EINEM STIFTERPAAR
Tempera/Holz   24,5 × 69,5
Abb. 14

GOVAERTS, ABRAHAHM
Antwerpen 1589 – 1626 Antwerpen

DIE AUFFINDUNG MOSIS
Kupfer   29,3 × 41,2

GOYEN, JAN VAN
Leiden 1596 – 1656 Den Haag

LANDSCHAFT MIT BAUERNHAUS, 1632
Eichenholz   29,5 × 50
bezeichnet und datiert

GRAFF, ANTON
Winterthur 1736 – 1813 Dresden

BILDNIS JAKOB FERDINAND FREIHERR
VON DUFOUR-FERONCE (1766 – 1817)
Leinwand   62,5 × 52,5
Abb. 111

GREBBER, PIETER FRANSZ DE
Haarlem 1600 – 1652/3 Haarlem

WEIBLICHER STUDIENKOPF
Eichenholz   50,5 × 39

VERKÜNDIGUNG, 1633
Eichenholz   84 × 112
bezeichnet und datiert
Leihgabe
Abb. 74

GRIMMER, JACOB
Antwerpen 1525 – um 1590 Antwerpen

WINTERLANDSCHAFT
Holz, oval   30,3 × 26,5

GUARDI, FRANCESCO
Venedig 1712 – 1793 Venedig

PHANTASIELANDSCHAFT MIT BAUWERKEN
AN DER LAGUNE, um 1790
Leinwand   59,5 × 72
Leihgabe
Farbtafel 24

GUARDI, GIOVANNI ANTONIO
Venedig 1698 – 1760 Venedig

BILDNIS DES HERZOGS CARL ALEXANDER
VON LOTHRINGEN
Leinwand   70 × 53

GUDE, HANS FREDRIK
Oslo 1825 – 1903 Berlin

NORWEGISCHE GEBIRGSLANDSCHAFT
Papier   30 × 47
rücks. bezeichnet

GUDIN, JEAN ANTOINE THÉODORE
Paris 1802 – 1880 Boulogne-sur-Seine

MONT-SAINT-MICHEL, 1840
Leinwand auf Karton   53 × 64
bezeichnet

GUILLAUMIN, JEAN-BAPTISTE ARMAND
Paris 1841 – 1927 Paris

LANDSCHAFT
Leinwand   45,5 × 55
bezeichnet

GURLITT, LOUIS
Altona 1812 – 1897 Naundorf (Schmiedeberg)

ALBANER GEBIRGE
Leinwand   84 × 117,7

GYSELAER, NICOLAES DE
Leiden um 1592 – 1654 Utrecht (?)

KIRCHENINNERES, um 1630
Leinwand   101,5 × 125
Leihgabe

HACKERT, JACOB PHILIPP
Prenzlau 1737 – 1807 San Piero di Careggio
bei Florenz

KLOSTER SACRO EREMO DI CAMÁLDOLI, 1802
Leinwand   64,5 × 87
bezeichnet und datiert

ÄNEAS UND DIDO FLÜCHTEN
VOR DEM UNWETTER IN EINE GROTTE, 1804
Leinwand   65 × 88,5
bezeichnet und datiert

HAGEMEISTER, KARL
Werder (Havel) 1848 – 1933 Werder

WEISSER MOHN, 1881
Leinwand   78,7 × 116,5
bezeichnet und datiert

HALS, DIRCK
Haarlem 1591 – 1656 Haarlem

PÄRCHEN
Eichenholz   16,5 × 13

DER MUSIKUNTERRICHT, 1646
Eichenholz   28,5 × 22,2
bezeichnet und datiert

HAMILTON, FRANZ DE Art des
tätig an deutschen Fürstenhöfen
etwa 1660 – 1700

DIE ATELIERWAND (QUODLIBET), um 1720
Leinwand   67,5 × 59,5

HANNEMANN, ADRIAEN
Den Haag um 1601 – 1671 Den Haag

GRÄFIN MAULEVRIER
Leinwand   95 × 76,5

HARPIGNIES, HENRI-JOSEPH
Valenciennes 1819 – 1916 Saint-Privé (Yonne)

LANDSCHAFT MIT ANGLER, 1883
Leinwand   53,8 × 71,5
bezeichnet und datiert
Abb. 145

HASENPFLUG, CARL GEORG ADOLPH
Berlin 1802 – 1858 Halberstadt

KLOSTER WALKENRIED, 1850
Leinwand auf Sperrholz   89 × 75
bezeichnet und datiert
Leihgabe

HEDA, WILLEM CLAESZ
Haarlem 1594 – 1680 Haarlem

STILLEBEN, 1634
Eichenholz   71 × 63,5
bezeichnet und datiert
Farbtafel 14

HEIL, DANIEL VAN
Brüssel 1604 – 1662 Brüssel

FEUERSBRUNST
Leinwand   56,5 × 89

HEIMBACH, WOLFGANG
Ovelgönne (Oldenburg) um 1615 – nach 1678

IM WIRTSHAUS, um 1660
Eichenholz, Oval   30,5 × 21,2

HIRTH DU FRÊNES, RUDOLF
Gräfentonna bei Gotha 1846 – 1916
Miltenberg (Main)

SKIZZE ZU ZWEI LESENDEN BAUERNMÄDCHEN,
1868
Pappe   37,2 × 30,7
rücks. bezeichnet und datiert

KOPF EINES BAUERNMÄDCHENS, vor 1876
Papier auf Leinwand   36,3 × 29,6
bezeichnet

STRANDBILD
Nußbaumholz   20,5 × 31
bezeichnet

HODLER, FERDINAND
Bern 1853 – 1918 Genf

MÄNNLICHER STUDIENKOPF, 1873
Leinwand   39,4 × 28,3
bezeichnet und datiert

LA VISION (GEBIRGSLANDSCHAFT), 1889
Leinwand   100,7 × 132,7
bezeichnet
Abb. 141

HOGUET, CHARLES
Berlin 1821 – 1870 Kreuth (Bayern)

ANSICHT VON EBERSWALDE
MIT INDUSTRIEWERKEN, um 1850
Holz   25,7 × 39

HOLBEIN I., HANS
Augsburg um 1465 – 1524 Isenheim

CHRISTUS UND MARIA AUF GOLGATHA
Lindenholz   41,5 × 32,8
bezeichnet
Abb. 28

HOLBEIN II., HANS
Augsburg 1497/8 – 1543 London

PHILIPP MELANCHTHON (1497 – 1560)
ORNAMENT UND SINNSPRUCH
(auf dem zugehörigen Deckel)
Eichenholz   Rundbild ⌀ 9, Deckel ⌀ 12
Farbtafel 4

D'HONDECOETER, GYSBERT GILLISZ
Utrecht 1604 – 1653 Utrecht

DIANA MIT NYMPHEN IM BAD, 1637
Eichenholz   44 × 68,5
bezeichnet und datiert

D'HONDECOETER, MELCHIOR
Utrecht 1636 – 1695 Amsterdam

HÜHNERHOF, 1686
Leinwand   82 × 101
bezeichnet und datiert
Leihgabe

HONTHORST, GERARD VAN
Utrecht 1592 – 1656 Utrecht

PRINZ RUPRECHT VON DER PFALZ (1619 – 1682),
1642
Eichenholz   74 × 60
bezeichnet und datiert

PRINZESSIN MARIA VON ENGLAND (1630 – 60),
GEMAHLIN WILHELMS II. VON ORANIEN
Eichenholz   72,6 × 58,7

HOOCH, PIETER DE
Rotterdam 1629 – 1684 Amsterdam

FRAU BEI DER HANDARBEIT AM FENSTER
Leinwand   50 × 38,5
Abb. 81

HOOGSTRATEN, SAMUEL VAN
Dordrecht 1627 – 1678 Dordrecht

MUTTER AN DER WIEGE, um 1670 – 75
Leinwand   48,5 × 40
bezeichnet
Farbtafel 16

HUMMEL, JOHANN ERDMANN
Kassel 1769 – 1852 Berlin

SCHACHPARTIE IM PALAIS VOSS ZU BERLIN, 1818
Leinwand   140,8 × 117

HUYSMANS, CORNELIS
Antwerpen 1648 – 1727 Mecheln

WALDLANDSCHAFT
Leinwand   103,5 × 95,5

ISABEY, EUGÈNE
Paris 1803 – 1886 Lagny bei Paris

DIE SCHLEICHHÄNDLER, um 1837
Leinwand   47,5 × 57,3
bezeichnet

ISRAELS, JOZEF
Groningen 1824 – 1911 Den Haag

SELBSTBILDNIS, 1909
Leinwand   80,5 × 60
bezeichnet und datiert

JACOBSZ, LAMBERT
Leeuwarden um 1592 – 1637 Leeuwarden

ELISA UND GEHASI (DER UNGETREUE DIENER),
1629
Leinwand   62 × 84
bezeichnet und datiert
Abb. 65

JONSON VAN CEULEN, CORNELIS
London 1593 – 1661 Amsterdam

PRINZ PHILIPP VON DER PFALZ (1627 – 1655),
um 1650
Leinwand   105 × 84
bezeichnet

JORDAENS, JACOB
Antwerpen 1593 – 1678 Antwerpen

‚HEILIGE SIPPE‘
Leinwand   143,3 × 166
Farbtafel 19

JOUVENET III., NOËL
Rouen 1660/5 – 1698

DER BILDHAUER BLUMENTHAL
Leinwand, Oval   72,5 × 55,5

JUEL, JENS
Balslev (Fünen) 1745 – 1802 Kopenhagen

HERRENBILDNIS, 1787
Leinwand, Oval   53,5 × 43
bezeichnet und datiert

KALF, WILLEM
Rotterdam 1619 – 1693 Amsterdam

STILLEBEN, um 1655
Leinwand   65,5 × 56
Abb. 71

KALKAR, JAN STEPHAN VON
Kalkar 1499 – 1546/50 Neapel

HERR MIT ASTRONOMISCHER UHR
Leinwand   111,5 × 94
Leihgabe

KAULBACH, FRIEDRICH
Arolsen 1822 – 1903 Hannover

SKIZZE ZU HÄNDEN (HÄNDE ZU DEM BILDE
DER FÜRSTIN HOHENLOHE), vor 1855
Papier auf Leinwand   34 × 48
bezeichnet

PORTRÄT DER BILDHAUERIN
ELISABETH NEY, 1860
Leinwand   202 × 121
bezeichnet und datiert

ENTWURF ZU JULIA CAPULETS HOCHZEITS-
MORGEN, um 1862
Papier auf Leinwand   59,8 × 82,7

KEMMER, HANS
Lübeck um 1495 – 1561 Lübeck

CHRISTUS ZWISCHEN ZWEI KNIENDEN STIFTERN,
1537
Eichenholz   101 × 56
bezeichnet und datiert
Abb. 31

KESSEL, JAN THOMAS VAN
Antwerpen 1677 – 1741 Antwerpen

ZWEI RAUCHER
Holz   28,5 × 20,5
bezeichnet

KEY, ADRIAEN THOMASZ
Antwerpen (?) um 1544 – nach 1589 Antwerpen

BILDNIS EINER ALTEN DAME, 1588
Eichenholz, 96 × 71
datiert
Abb. 41

KEYSER, THOMAS DE zugewiesen
Amsterdam 1596/7 – 1667 Amsterdam

BILDNIS EINER JUNGEN DAME
Eichenholz   57 × 29,8

KLEIN, PHILIPP
Mannheim 1871 – 1907 Hornegg (Neckar)

AM STRAND VON VIAREGGIO, 1906
Leinwand   44,5 × 53,3

KLENGEL, JOHANN CHRISTIAN
Kesselsdorf 1751 – 1824 Dresden

VIEH AUF DER WEIDE, 1813
Leinwand   23,2 × 29,8
bezeichnet und datiert

ARKADISCHE LANDSCHAFT
Eichenholz   28,5 × 37,8
bezeichnet

ITALIENISCHE LANDSCHAFT, 1824
Leinwand auf Pappe   37 × 53,2
bezeichnet und datiert

KLENZE, LEO VON
Bockela bei Schladen 1784 – 1864 München

DER DOMPLATZ VON AMALFI, 1859
Leinwand   84,4 × 114
bezeichnet und datiert
Leihgabe
Abb. 128

KNIEP, CHRISTOPH HEINRICH
Hildesheim 1755 – 1825 Neapel

DIE GROSSEN THERMEN DER VILLA ADRIANA
Papier auf Holz   74,5 × 103,5

KOBELL, FERDINAND
Mannheim 1740 – 1799 München

ITALIENISCHE LANDSCHAFT
Leinwand   69,5 × 60,5

KOCH, JOSEPH ANTON
Obergiblen bei Elbigenalp (Tirol) 1768 – 1839
Rom

GROTTA FERRATA, 1834
Holz   29 × 44,5
bezeichnet

GROTTA FERRATA, 1835 – 36
Leinwand   77 × 103,5
bezeichnet
Abb. 113

RAUB DES GANYMED, 1838 – 39
Leinwand auf Sperrholz   115 × 93,5
bezeichnet

KOTSCH, THEODOR
Hannover 1818 – 1884 München

STEINBRÜCHE BEI POLLING, um 1843 – 45
Papier auf Pappe   28,4 × 38,5

TEICHLANDSCHAFT AM KRANICHSTEIN IM HARZ,
um 1846
Papier auf Pappe   25 × 36

BAUMSTUDIE, um 1855 – 60
Leinwand auf Pappe   37 × 27,5

KROGHE, HINRIK VAN DEM
Lübeck um 1450 – 1504 Lübeck

PASSION CHRISTI (geöffneter Zustand)
VERKÜNDIGUNG AN MARIA
(geschlossener Zustand)
Flügelaltar
Tempera/Eichenholz   157 × 204,5 (geöffnet)
Aus Haverbeck (Kreis Hameln)

KRÜGER, FRANZ
Großbadegast bei Köthen 1797 – 1857 Berlin

PFERDEMARKT
Papier auf Leinwand   41,7 × 57,5
Leihgabe

KUEHL, GOTTHARDT
Lübeck 1850 – 1915 Dresden

DER BESUCH, um 1900
Holz   64 × 51
bezeichnet

KULMBACH, HANS SÜSS VON
Kulmbach (?) um 1480 – 1522 Nürnberg

DIE HEILIGEN JOHANNES UND MAGDALENA
Zwei Altarflügel
Lindenholz   je 45,5 × 15,5
Abb. 29

DIE HEILIGEN SEBASTIAN UND ROCHUS
MIT EINEM ADORANTEN, 1518
Lindenholz (?)   57 × 46
bezeichnet und datiert

LASTMAN, PIETER
Amsterdam 1583 – 1633 Amsterdam

RUTH ERKLÄRT NAËMI DIE TREUE, 1614
ehemals Holz; auf Leinwand übertragen   65 × 88,5
bezeichnet und datiert
Farbtafel 10

LAWRENCE, THOMAS
Bristol 1769 – 1830 London

CHARLES MANNERS-SUTTON (1780 – 1845), 1811
Leinwand   126 × 102,5
Abb. 110

LEFORT, JEAN LOUIS
Bordeaux 1875 – 1954 Nogent-Sur-Marne (Seine)

DORFSTRASSE IN FUENTERRABIA, um 1905
Holz   32,3 × 23,7
bezeichnet

LEIBL, WILHELM
Köln 1844 – Würzburg 1900

SELBSTPORTRÄT ALS ACHTZEHNJÄHRIGER, 1862
Schiefer   35 × 30,5
bezeichnet und datiert

BAUERNMÄDCHEN, 1881
Leinwand auf Sperrholz   129 × 87
bezeichnet
Abb. 137

LEISTIKOW, WALTER
Bromberg 1865 – 1908 Berlin

SEE IN DER MARK BEI GRÜNHEIDE, 1907
Leinwand   73,5 × 93,5
bezeichnet
Abb. 152

LENBACH, FRANZ VON
Schrobenhausen (Oberbayern) 1836 – 1904
München

LANDSCHAFT MIT KAPELLE, 1854
Papier auf Karton   18,5 × 40,3
bezeichnet und datiert

HOFECKE, 1854
Pappe   20,6 × 16,9
bezeichnet und datiert

ALTER BAUER, 1854
Pappe   33,8 × 26,5
bezeichnet und datiert

TURM DER FRAUENKIRCHE IN SCHROBENHAUSEN,
1854
Leinwand auf Pappkarton   26 × 22,5
bezeichnet und datiert

KLEIDER UND HUT, 1854
Pappe   21,4 × 20,9
bezeichnet und datiert

LANDSCHAFT MIT KIRCHE, 1854
Papier auf Leinwand   21,5 × 33,4
bezeichnet und datiert

LIEGENDER KNABE, 1857
Pappe   39 × 52,5
bezeichnet und datiert

SÄENDER BAUER, 1859
Papier   31,5 × 18,7
bezeichnet und datiert (vorder- und rücks.
unterschiedlich)

BÄUERIN MIT KIND, 1861
Pappe   47 × 33,5
bezeichnet und datiert
Farbtafel 32

LEONI, OTTAVIO
Rom um 1578 – 1630 Rom

BILDNIS EINER JUNGEN FRAU
Leinwand   59,5 × 46,5

LESIRE, PAULUS
Dordrecht 1611 – nach 1656 Dordrecht

BRUSTBILD EINES JUNGEN MANNES
Holz   63 × 47,3
bezeichnet
Abb. 72

LEVY, RUDOLF
Stettin 1875 – 1944/45 Auschwitz oder Dachau

ZWEI SCHIMMEL, um 1900 – 10
Pappe   31,6 × 47
bezeichnet

LIEBERMANN, MAX
Berlin 1847 – 1935 Berlin

ARBEITER IM RÜBENFELD (Ölstudie), 1873
Leinwand   17 × 34,6
bezeichnet und datiert

LOTSENSTUBE, 1873
Leinwand   45,5 × 60,7
bezeichnet und datiert

ARBEITER IM RÜBENFELD, 1874 – 76
Leinwand   98 × 209
bezeichnet
Abb. 140

JUDENGASSE IN AMSTERDAM, 1884
Leinwand   69 × 57
bezeichnet und datiert

HOLLÄNDISCHE DORFSTRASSE, 1885
Leinwand   90 × 117
bezeichnet

ALTE FRAU MIT ZIEGEN (STUDIE), um 1890
Pappe   46 × 63
bezeichnet

GARTEN MIT SONNENBLUMEN, 1895
Holz   37,8 × 46
bezeichnet und datiert

BILDNIS MARTHA LIEBERMANN
(DIE FRAU DES KÜNSTLERS), 1899
Pappelholz   44 × 32,8
bezeichnet und datiert

TENNISSPIELER AM MEER (SCHEVENINGEN),
1903
Pappe   30 × 45,8
bezeichnet und datiert

STRAND BEI NOORDWIJK
(MIT ZWEI REITERN), 1908
Holz   56,3 × 74
bezeichnet und datiert
Farbtafel 38

STRANDSZENE IN NOORDWIJK, 1908
Leinwand   66 × 80,2
bezeichnet

BADENDE KNABEN, um 1910
Pappe   35,2 × 49,2
bezeichnet

REITKNECHT MIT PFERD IM PARK, 1912
Leinwand   56,5 × 86,5
bezeichnet

REITER, NACH LINKS, AM STRAND, 1912
Pappe auf Leinwand   49 × 39,5
bezeichnet und datiert

TIERGARTEN, 1915
Leinwand   40 × 50,2
bezeichnet

BIERGARTEN, um 1915
Leinwand   40 × 50
bezeichnet

SELBSTBILDNIS, 1916
Leinwand   94 × 73,7
bezeichnet und datiert

DER GARTEN DES KÜNSTLERS, 1918
Leinwand   85,5 × 106
bezeichnet und datiert

LINGELBACH, JOHANNES
Frankfurt (Main) 1622 – 1674 Amsterdam

ITALIENISCHE HAFENLANDSCHAFT, 1659
Leinwand   98 × 115
bezeichnet und datiert
Leihgabe

LIPPO D'ANDREA
Florenz 1377 – nach 1427

DIE DREI JÜNGER AM ÖLBERG
Tempera/Pappelholz   113,5 × 76,5

LISIEWSKA, ANNA ROSINA,
verheiratete DE GASC
Berlin 1716 – 1783 Dresden

SELBSTBILDNIS, 1782
Leinwand   95,8 × 74,4
bezeichnet und datiert

LONGHI, ALESSANDRO
Venedig 1733 – 1813 Venedig

HERRENBILDNIS
Leinwand   80,5 × 58,5

DAMENBILDNIS
Leinwand   80,5 × 58,8

Gegenstücke
Abb. 102a und b

LORRAIN, CLAUDE, eigentlich GELLÉE
Chamagne bei Nancy 1600 – 1682 Rom

FLUSSLANDSCHAFT MIT ZIEGENHIRT,
um 1640 – 45
Leinwand   39,5 × 53
Farbtafel 21

LUCAS, GEORG FRIEDRICH AUGUST
Darmstadt 1803 – 1863 Darmstadt

LANDSCHAFT AUS DER SERPENTARA
BEI OLEVANO, 1840
Leinwand   33 × 25,5
bezeichnet und datiert

LUND, JOHANN LUDWIG GEBHARD
Kiel 1777 – 1867 Kopenhagen

BILDNIS DES MALERS
CASPAR DAVID FRIEDRICH, 1800
Zinkblech   Rundbild ⌀ 13,1

MACKENSEN, FRITZ
Greene (Kreis Gandersheim) 1866 – 1953
Worpswede

HAMME-HÜTTE, 1897
Leinwand   97 × 125
bezeichnet

STEHENDER MANN, um 1907
Pappe   74,8 × 63
bezeichnet

MAES, NICOLAES
Dordrecht 1634 – 1693 Amsterdam

HERRENBILDNIS
Leinwand   41,5 × 33
bezeichnet
Leihgabe
Abb. 89

BILDNIS EINES HERRN, um 1680
Leinwand   70 × 58

MAGNASCO, ALESSANDRO
Genua 1667 – 1749 Genua

LANDSCHAFT, um 1730 – 40
Leinwand   70,5 × 92
Abb. 99

MAINARDI, SEBASTIANO DI BARTOLO
San Gimignano um 1460 – 1513 Florenz

DIE HEILIGE FAMILIE
Tempera und Öl/Pappelholz
Rundbild ⌀ 90–91,5

MAKART, HANS
Salzburg 1840 – 1884 Wien

BILDNIS DER FRAU VON MUNKACSY, nach 1874
Leinwand   116 × 90
Leihgabe
Abb. 135

MANDER I., KAREL VAN
Meulebeke 1548 – 1606 Amsterdam

LANDSCHAFT MIT PREDIGT UND TAUFE
JOHANNIS, 1597
Holz   77 × 106,5
bezeichnet und datiert
Abb. 46

MARÉES, HANS VON
Elberfeld 1837 – 1887 Rom

ZUAVE MIT GEWEHR, 1860
Leinwand   48,7 × 39
bezeichnet und datiert

KOPF EINES HUNDES, um 1862
Holz   28,2 × 17

DER MANN MIT DER ORANGE, um 1873
Leinwand auf Karton   64,3 × 26,1
Abb. 133

MARIESCHI, MICHELE
Venedig 1696 – 1743 Venedig

GEFÄNGNISHOF (?)
Leinwand   35 × 55

HOF EINES RENAISSANCEPALASTES
Leinwand   35 × 55,5
Abb. 101

Gegenstücke

MARSEUS VAN SCHRIECK, OTTO
Nymwegen 1619/20 – 1678 Amsterdam

SCHMETTERLINGE UND BLUMEN, 1675
Leinwand   62 × 53
bezeichnet und datiert

MEISTER DES HL. ÄGIDIUS
tätig um 1500 in Paris

DER EVANGELIST JOHANNES

JACOBUS DER ÄLTERE

Gegenstücke (Altarflügel)
Eichenholz   je 76,5 × 23,5

MEISTER DES BARFÜSSERALTARES
tätig im südlichen Niedersachsen – Hildesheim
und Göttingen – im ersten Drittel
des 15. Jahrhunderts

SOGENANNTER BARFÜSSERALTAR, 1424
DIE ZWÖLF APOSTEL UND BIBLISCHE GESTALTEN
(erster geöffneter Zustand)
MARIEN- UND PASSIONSGESCHICHTE,
DER HL. FRANZ VON ASSISI UND DER HL. GEORG
(zweiter geöffneter Zustand)
ALLEGORIEN DER TATEN CHRISTI
FÜR DIE MENSCHHEIT
(geschlossener Zustand)
VIER WEIBLICHE HEILIGE
(Staffel)
Wandelaltar mit zwei Flügelpaaren
und zwei Staffelfragmenten
Tempera auf Goldgrund/
Eichenholz mit Leinwandüberzug
305 (ohne Staffel) × 787 (geöffnet)
Staffelbilder Kiefernholz   je 41,5 × 54
datiert
Aus der ehemaligen Barfüßerkirche zu Göttingen
Abb. 9

MEISTER VON DELFT
tätig um 1500 wohl in Delft

HL. ANNA SELBDRITT, KATHARINA
UND BARBARA
Eichenholz   68,5 × 50

MEISTER DER GOLDENEN TAFEL
tätig in Lüneburg Anfang des 15. Jahrhunderts

SOGENANNTE GOLDENE TAFEL, um 1420
36 SZENEN AUS DEM LEBEN CHRISTI UND MARIÄ
(erster geöffneter Zustand)
KREUZIGUNG CHRISTI, DIE EHERNE SCHLANGE
(geschlossener Zustand)
Wandelaltar mit zwei Flügelpaaren,
innen Schnitzwerke
Tempera auf Goldgrund/Eichenholz
je Flügel 231 × 184
Aus der Michaeliskirche zu Lüneburg
Farbtafel 3
Abb. 8

MEISTER DER GOSLARER SIBYLLEN
tätig in Goslar um 1510 – 20

BILDNIS EINES PATRIZIERS
Eichenholz   37,3 × 33

MEISTER DES JACOBIKIRCHENALTARS
tätig in Göttingen (?) zu Anfang
des 15. Jahrhunderts

VERKÜNDIGUNG UND GEBURT

CHRISTUS VOR PILATUS UND KREUZTRAGUNG

Zwei Altarflügelfragmente
Tempera auf Goldgrund/
Weichholz mit Leinwandüberzug
97 × 88   und   95 × 85
Aus der Marktkirche zu Göttingen
Abb. 5

MEISTER DES JACOBIKIRCHENALTARS
Werkstatt

ZEHNGEBOTETAFEL
Mittelbild eines Flügelaltars
Tempera auf Goldgrund/
Eichenholz mit Leinwandüberzug
160×173
Aus der Fronleichnamskappelle zu Göttingen

MEISTER DER MAGDALENENLEGENDE
tätig in Brüssel gegen 1500

DIE MUTTERGOTTES MIT DEM HL. BERNHARD
Eichenholz   26,3×37

MEISTER DES REGLER-ALTARES zugewiesen
tätig in Erfurt um 1460

ENGELPIETÀ
Eichenholz   25,3×18,5

MEISTER DER WEIBLICHEN HALBFIGUREN
tätig in Antwerpen im 1. Drittel
des 16. Jahrhunderts

MARIA MIT DEM KINDE
Eichenholz   38×29,3

MENGS, ANTON RAPHAEL
Aussig 1728 – 1779 Rom

HEILIGE NACHT, um 1771 – 72
Leinwand   59,5×36

MENZEL, ADOLPH VON
Breslau 1815 – 1905 Berlin

KRÖNUNG KÖNIG WILHELMS I.
IN KÖNIGSBERG, 1861
Blei, Aquarell, Gouache/Papier auf Pappe
37,7×53,8
bezeichnet
Abb. 129

MEYERHEIM, HERMANN
tätig um 1860/80 in Berlin

BEWEGTE SEE MIT BOOT
Papier   12,8×18,8

MICHEL, GEORGES
Paris 1763 – 1843 Paris

BAUERNHAUS IM WALD, um 1830
Leinwand   48,3×67,5
bezeichnet

MIELICH, HANS
München 1516 – 1573 München

KREUZIGUNG, 1536
Lindenholz   108×75
bezeichnet und datiert
Abb. 30

MIERIS, WILLEM VAN
Leiden 1662 – 1747 Leiden

JOSEPH UND POTIPHARS WEIB, 1685
Eichenholz   29,5×34,5
bezeichnet und datiert

MILLET, JEAN FRANÇOIS
Antwerpen 1642 – 1679 Paris

BERGLANDSCHAFT MIT WASSERTRÄGERIN
Leinwand   52 × 66
Abb. 90

MIROU, ANTHONIE
Antwerpen um 1570 – 1653 Antwerpen

TAUFE CHRISTI
Holz   29,5 × 42,7

MITTELDEUTSCH, 1. Hälfte
des 14. Jahrhunderts

CHRISTUS MIT DEM UNGLÄUBIGEN THOMAS;
HL. BISCHOF
Außenseiten der Türflügel eines
Sakristeischrankes
Tempera/Fichtenholz, mit Eisenbeschlägen
und Schloß   166 × 115
Aus der Liebfrauenkirche zu Arnstadt

MODERSOHN, OTTO
Soest 1865 – 1943 Rotenburg

HEUERNTE IM MOOR, 1910
Pappe   74,9 × 92,8
bezeichnet und datiert

ABENDSTIMMUNG IM MOOR, 1941
Leinwand   57 × 75
bezeichnet und datiert
Leihgabe

SOMMERLANDSCHAFT, 1941
Leinwand   56,5 × 74,5
bezeichnet und datiert
Leihgabe

MODERSOHN-BECKER, PAULA
Dresden 1876 – 1907 Worpswede

WORPSWEDER LANDSCHAFT MIT ROTEM HAUS,
um 1900
Pappe   53 × 40,4
bezeichnet

ZWEI BIRKENSTÄMME, um 1900
Pappe auf Hartfaserplatte   73,5 × 36,7

STILLEBEN MIT BLAUWEISSEM PORZELLAN, 1900
Pappe auf Masonit   50 × 58
datiert

BILDNIS DER SCHWESTER DER KÜNSTLERIN,
1901
Eichenholz   35,8 × 34,5

STILLEBEN MIT PERLEN UND VASEN, 1902
Pappe   52 × 73,5
datiert

MÄDCHEN AM BIRKENSTAMM RUHEND, 1903
Holz   63,8 × 55,6
datiert
Leihgabe

STILLENDE MUTTER, 1903
Leinwand   70 × 58,8
bezeichnet

SELBSTBILDNIS (VOR FENSTERAUSBLICK),
1903 – 05
Holz   28 × 24,4

ABENDLANDSCHAFT, 1904
Pappe auf Holz   41 × 55,2

STILLEBEN MIT GELBEM KRUG, um 1905
Leinwand   59,5 × 71,3
Abb. 153

STILLEBEN MIT FISCH, 1906
Pappe auf Hartfaserplatte   26,7 × 38,2
datiert

ROTES HAUS MIT BIRKE, 1906
(Rückseite von „Stilleben mit Fisch")
Gouache/Pappe   26,7 × 38,2

STILLEBEN MIT WEISSER LAMPE, um 1906
Leinwand   70,5 × 58

SELBSTBILDNIS MIT HAND AM KINN, 1906 – 07
Holz   29 × 19,5
bezeichnet
Leihgabe
Farbtafel 33

MOLYN, PIETER DE
London 1595 – 1661 Haarlem

WINTERLANDSCHAFT MIT GEHÖFT UND PFERDE-
SCHLITTEN
Eichenholz 25,5 × 33,9
bezeichnet

MOMPER II., JOOS DE
Antwerpen 1564 – 1635 Antwerpen

DORFSTRASSE IM WINTER
Eichenholz   45 × 74

LANDSCHAFT MIT DER BEKEHRUNG DES PAULUS
Eichenholz   71 × 124
Abb. 49

MONET, CLAUDE
Paris 1840 – 1926 Giverny (Seine)

DER BAHNHOF SAINT LAZARE (DAS SIGNAL),
1877
Leinwand   65,5 × 81,5
bezeichnet
Farbtafel 37

MONTAGNANA, JACOPO DA
Montagnana 1440/43 – 1499 Padua

BEWEINUNG CHRISTI, um 1490
Tempera und Öl/Leinwand   148 × 109,5
Abb. 20

MONTICELLI, ALPHONSE
Marseille 1824 – 1886 Marseille

PARKSZENE, um 1875
Holz   38,5 × 45
bezeichnet

MOREELSE, PAULUS
Utrecht 1571 – 1638 Utrecht

SELBSTBILDNIS, um 1620 – 25
Holz   69,7 × 55
Abb. 68

MORGENSTERN, CHRISTIAN
Hamburg 1805 – 1867 München

HEIDELANDSCHAFT BEI MÜNCHEN, 1850
Leinwand   83,3 × 119
bezeichnet und datiert

MOSTAERT, JAN
Haarlem um 1475 – 1555/6 Haarlem (?)

CHRISTUS ALS SCHMERZENSMANN
Eichenholz 41,5 × 32,5
Leihgabe

MOUCHERON, FREDERIK DE
Emden 1633 – 1686 Amsterdam

LANDSCHAFT
Leinwand   88 × 96
bezeichnet

NEEFFS II., PEETER
Antwerpen 1620 – 1675 Antwerpen

INNERES EINER GOTISCHEN KIRCHE,
um 1640 – 50
Eichenholz   26 × 38,5
bezeichnet

NEHER, MICHAEL
München 1798 – 1876 München

DIE KATHEDRALE VON TOURNAY, um 1856
Leinwand   57,8 × 46,7
bezeichnet

NELLI, OTTAVIANO DI MARTINO
tätig in Umbrien und den Marken 1400 – 1440

MADONNA IM BLUMENGARTEN, um 1400 – 10
Tempera/Pappelholz   45 × 36

NETSCHER, CASPAR
Heidelberg 1639 – 1684 Den Haag

GERRIT BICKER VAN ZWIETEN (1632 – 1718),
1673
Leinwand   48,5 × 38,5

CORNELIA BICKER (1638 – vor 1677), 1673
Leinwand   48,5 × 40

Gegenstücke, beide bezeichnet und datiert

NIEDERSÄCHSISCH (?),
gegen Ende des 13. Jahrhunderts

DAS ENTSCHLAFEN DER GOTTESMUTTER
Altaraufsatz mit bemaltem Rahmen
Tempera/Eichenholz   114 × 139,5
Aus Kloster Wennigsen am Deister
Abb. 1

NIEDERSÄCHSISCH,
Anfang 14. Jahrhundert

CHRISTUS MIT DEN KLUGEN UND TÖRICHTEN
JUNGFRAUEN
Altarstaffel
Tempera/Eichenholz   26 × 173
Aus Kloster Isenhagen

NIEDERSÄCHSISCH-HESSISCH, um 1400

KINDHEIT CHRISTI; PASSION CHRISTI
Zwei Altarflügel
Tempera auf Goldgrund/Eichenholz
je Flügel 197 × 195
Aus der Ägidienkirche zu Hannoversch Münden
Abb. 4

NIEDERSÄCHSISCH (HANNOVER?), um 1400

PASSION CHRISTI (geschlossener Zustand)
Flügelaltar, innen Schnitzwerke
Tempera auf Goldgrund/Eichenholz
je Flügel   134 × 107
Aus der Minoritenkirche zu Hannover

NIEDERSÄCHSISCH (HANNOVER?), um 1400

AUSTREIBUNG DER WECHSLER AUS DEM TEMPEL
Bruchstück eines Wandelaltars
Tempera auf Goldgrund/
Eichenholz mit Leinwandüberzug   43,5 × 37,5
Aus der Ägidienkirche zu Hannover

NIEDERSÄCHSISCH (HILDESHEIM), um 1420

FLUCHT PAULI; BEKEHRUNG PAULI
Zwei Altarflügel
Tempera/Eichenholz   65,5 × 60 bzw. 66,5 × 60,5
Aus der Lambertikirche zu Hildesheim
Abb. 7

NIEDERSÄCHSISCH, um 1420

CHRISTUS IN DER VORHÖLLE; HIMMELFAHRT
CHRISTI
Zwei Altarflügel
Tempera/Holz   131 × 79 bzw. 132 × 79
Aus der ehemaligen Zisterzienserinnenabtei
zu Osterode

NIEDERSÄCHSISCH, um 1420/30

GEKRÖNTE HEILIGE MIT KIRCHENMODELL
Bruchstück eine Altars
Tempera auf Goldgrund/
Tannenholz mit Leinwandüberzug   94 × 34,2
Aus der Kirche zu Bröckel

NIEDERSÄCHSISCH, um 1430

GEBURT UND PASSION CHRISTI
Zwei Altarflügel
Innen: Christus vor Pilatus; Christus
in der Vorhölle
Außen: Geburt Christi; Anbetung der Könige
Tempera/Eichenholz   je Flügel 165 × 126
Abb. 6

NIEDERSÄCHSISCH (HILDESHEIM), um 1430

CHRISTUS ALS SCHMERZENSMANN
AUF DEM GRABE UND KREUZIGUNG CHRISTI
Doppelseitig bemalte Tafel (gespalten)
Tempera/Kiefernholz   80,3 × 62

NIEDERSÄCHSISCH (LÜNEBURG), 1495

ZWEI SZENEN AUS DER BENEDIKTLEGENDE
Zwei Altarflügel
Tempera/Eichenholz   122,5 × 80,5
bzw. 123,5 × 81
datiert
Aus der Michaeliskirche zu Lüneburg

NIEDERSÄCHSISCH-WESTFÄLISCH, um 1500

GEBURT CHRISTI
Tempera/Fichtenholz   89,5 × 89,5

NIEDERSÄCHSISCH, Anfang 16. Jahrhundert

DIE HEILIGE SIPPE
(geöffneter Zustand)
VERKÜNDIGUNG AN MARIA
(geschlossener Zustand)
Flügelaltar
Tempera/Weichholz mit Leinwandüberzug
Mittelbild   155 × 137
je Flügel   155 × 68,5
Aus der Kreuzkirche zu Hannover

NIEDERSÄCHSISCH, Anfang 16. Jahrhundert

MUTTERGOTTES UND VIER HEILIGE
Altarstaffel
Tempera/Eichenholz   47 × 202

NIEDERSÄCHSISCH, Anfang 16. Jahrhundert

SCHMERZENSMANN UND VIER KIRCHENVÄTER
Staffel eines Schnitzaltars
Tempera/Lindenholz   49 × 194

NIEDERSÄCHSISCH (LÜBECK), um 1510

KRÖNUNG MARIÄ
Flügelaußenseiten eines Schnitzaltars
Tempera/Eichenholz   je Flügel 147 × 42
Aus der Marienkirche zu Uelzen

NIEDERSÄCHSISCH (HILDESHEIM), nach 1511

VIER SZENEN AUS DEM MARIENLEBEN
Zwei Altarflügel
Tempera/Eichenholz   je Flügel 307 × 113
Aus der St.-Pauli-Kirche zu Hildesheim

NIEDERSÄCHSISCH, 1531

DRACHENKAMPF DES HL. GEORG
Eichenholz   100 × 87
Leihgabe

NIEULANDT, ADRIAEN VAN
Antwerpen 1587 – 1658 Amsterdam

ABRAHAM BEWIRTET DIE ENGEL, 1651
Eichenholz   62,5 × 80
bezeichnet und datiert

NIKODEM, ARTUR
Trient 1870 – 1940 Innsbruck

ALPENLANDSCHAFT, um 1910
Leinwand   8,8 × 14,5

MUTSPITZE BEI MERAN, um 1910
Leinwand   11 × 17,6

MÜHLBACH BEI UNTERMAIS, um 1910
Leinwand   16,8 × 9,4

OBERDEUTSCH, Anfang 16. Jahrhundert

AUFERSTEHUNG CHRISTI
Fichtenholz   84,5 × 53,5

OEHME, ERNST FERDINAND
Dresden 1797 – 1855 Dresden

DIE RUINE VON KAMAIK IN BÖHMEN
BEI HERANZIEHENDEM GEWITTER,
um 1850
Holz   30,7 × 45,8
bezeichnet

OESTERLEY, CARL WILHELM FRIEDRICH
Göttingen 1805 – 1891 Hannover

DIE TOCHTER JEPHTAHS, 1835
Leinwand, oberer Bildabschluß halbrund
131,2 × 116,8
bezeichnet und datiert

OFFINGER, ADAM
nachweisbar 1575 – 1598

BILDNIS HEINRICH VON SALDERN, 1578
Eichenholz   115 × 85,5

BILDNIS MARGARETE VON SALDERN,
GEBORENE VELTHEIM, 1578
Eichenholz   115 × 85

Gegenstücke, beide bezeichnet und datiert

ORLEY, BERNAERT VAN
Brüssel 1491/2 – 1542 Brüssel

DIE DORNENKRÖNUNG
Eichenholz   65,5 × 82
Abb. 38

ORLEY, BERNAERT VAN zugewiesen

PAPST HADRIAN VI., 1523
Eichenholz, oberer Bildabschluß halbrund
29 × 20,5
datiert

OSTADE, ISAACK VAN
Haarlem 1621 – 1649 Haarlem

WIRTSHAUSSZENE, 1641
Holz   37 × 45
bezeichnet und datiert
Abb. 76

OSTERWALD, GEORG
Rinteln (Weser) 1803 – 1884 Köln

SPIELENDE KINDER BEI EINER FEUERSTELLE
IM WALD, um 1830 – 40
Leinwand   26 × 32,7
bezeichnet

PACCHIAROTTI, GIACOMO
Siena 1474 – 1540 Viterbo

DIE VERLOBUNG DER HL. KATHARINA VON SIENA
UND DER HL. BERNHARDIN
Tempera/Pappelholz   58 × 48,5
Abb. 18

PALAMEDESZ, ANTHONIE
Delft 1601 – 1673 Amsterdam

SELBSTBILDNIS, 1624
Eichenholz   72 × 55,3
bezeichnet und datiert
Abb. 70

WACHTSTUBE
Eichenholz   26,4 × 34,7
bezeichnet

PALMEZZANO, MARCO DI ANTONIO
Forli um 1458/63 – 1539 Forli

MADONNA MIT KIND UND JOHANNESKNABE,
1472
Pappelholz   52 × 43
bezeichnet und datiert
Abb. 19

PANETTI, DOMENICO
Ferrara 1460 – vor 1513

THRONENDE MADONNA MIT DEN HEILIGEN
HIERONYMUS UND KATHARINA
Pappelholz   118,5 × 82,5
Abb. 22

PANNINI, GIOVANNI PAOLO
Piacenza 1691/92 – 1765 Rom

INNERES DER PETERSKIRCHE IN ROM, 1755
Leinwand   98 × 133
Abb. 100

DIE PIAZZA NAVONA IN ROM, UNTER WASSER
GESETZT, 1756
Leinwand   95,5 × 136
Farbtafel 27

Gegenstücke, beide bezeichnet und datiert

PAOLO DI GIOVANNI FEI (?)
tätig in Siena um 1370 – 1410

DER LEBENSBAUM
Triptychon
Tempera auf Goldgrund/Pappelholz, obere Bild-
abschlüsse spitzwinklig, eingezogen   59 × 23

PEETERS, BONAVENTURA
Antwerpen 1614 – 1652 Antwerpen

STÜRMISCHE SEE
Eichenholz   39 × 59,5
bezeichnet

PERUGINO, PIETRO
Città della Pieve bei Perugia 1446 – 1523
Fontignano bei Città della Pieve

DER HL. PETRUS IN EINEM FRÜCHTEKRANZ
Tempera/Pappelholz   66,4 × 48,3
Abb. 21

PESELLINO, eigentlich FRANCESCO
DI STEFANO
Florenz 1422–1457 Florenz

MADONNA
Tempera/Pappelholz   69,5 × 47
Abb. 13

PIAZZETTA, GIOVANNI BATTISTA
Venedig 1682 – 1754 Venedig

JUDITH UND HOLOFERNES, um 1706 – 07
Leinwand   146 × 118,5
Abb. 104

PIETRO DI DOMENICO DA MONTEPULCIANO
tätig in den Marken zu Anfang
des 15. Jahrhunderts

MADONNA MIT ZWEI HEILIGEN
UND IMAGO PIETATIS, um 1400 – 1410
Mittelstück eines Altärchens
Tempera auf Goldgrund/Holz, oberer Bild-
abschluß stumpfwinklig   23,5 × 15

PISSARRO, CAMILLE
St. Thomas (Dänische Antillen) 1830 – 1903 Paris

LANDSCHAFT (DORF MELLERAYE,
DEP. MAYENNE), 1876
Leinwand auf Hartfaserplatte   58,5 × 71,5
bezeichnet und datiert
Abb. 149

PITTONI II., GIOVANNI BATTISTA
Venedig 1687 – 1767 Venedig

MADONNA MIT KIND UND DEN HEILIGEN
LEONHARD UND FRANZ VON PAOLA
Leinwand, oberer Bildabschluß halbrund,
eingezogen   53 × 34
Abb. 106

POELENBURGH, CORNELIS VAN
Utrecht um 1590 – 1667 Utrecht

BACCHUS, VENUS UND CERES
Kupfer   18,5 × 25,5
bezeichnet

BÜSSENDE MAGDALENA
Kupfer   19,2 × 25,5
bezeichnet

Gegenstücke
Abb. 59 a und b

PONTE, GIOVANNI DEL
Florenz 1385 – 1437 (?)

DIE HEILIGEN NIKOLAUS VON BARI
UND BENEDIKT
Tempera/Pappelholz, oberer Bildabschluß
spitzbogig, fragmentiert   102,5 × 60
Abb. 12

PONTORMO, JACOPO, eigentlich CARRUCCI
Pontormo 1494 – 1557 Florenz

DER HL. HIERONYMUS ALS BÜSSER
Pappelholz   105 × 80
Farbtafel 7

POUSSIN, NICOLAS
Villers bei Les Andelys 1594 – 1665 Rom

DIE INSPIRATION DES ANAKREON
(AUF DEM PARNASS), um 1635
Leinwand   94 × 69,5
Farbtafel 22

POUSSIN, GASPARD, eigentlich DUGHET
Rom 1615 – 1675 Rom

ITALIENISCHE LANDSCHAFT
Leinwand   65,5 × 75
Abb. 91

PYNACKER, ADAM
Pijnacker bei Delft 1621 – 1673 Amsterdam

ITALIENISCHER HOFRAUM MIT HERDE
Eichenholz   74 × 60,2
bezeichnet

RAFFAEL, eigentlich RAFFAELLO SANTI
Urbino 1483 – 1520 Rom

BILDNIS EINER JUNGEN FRAU (DONNA VELATA)
Holz   74 × 50
Abb. 25

RAMBERG, JOHANN HEINRICH
Hannover 1763 – 1840 Hannover

SELBSTBILDNIS
Leinwand auf Pappe   53,3 × 39

SZENE AUS WIELANDS ‚OBERON‘, 1789
Eichenholz   63,3 × 48,8
bezeichnet und datiert

DORFWIRTSHAUS
Holz   46,5 × 61
bezeichnet

DER ABSCHIED DER KÖNIGIN
MARIE ANTOINETTE VON DER FAMILIE, 1794
Erlenholz   40 × 50
bezeichnet und datiert

DER FLUSS SKAMANDER, 1800
Tannenholz   42,4 × 54,5
bezeichnet und datiert

NÄCHTLICHE FLUSSLANDSCHAFT, 1801
Leinwand   42 × 60
bezeichnet und datiert

LANDSCHAFT MIT DEM DENKMAL GLEIMS, 1803
Leinwand   81 × 102
bezeichnet und datiert

BAUERNHAUS IM WALD, um 1805
Ahornholz   41,5 × 50

VOR DER SCHENKE, um 1805
Mahagoni   55 × 40

STURM AUF DEM MEERE, 1808
Leinwand   45 × 64
bezeichnet und datiert

LANDSCHAFT MIT HIRTENLAGER
Leinwand   49 × 58,5
bezeichnet

DER KLEINE CALENBERGER, 1833
Eichenholz   45 × 40
bezeichnet und datiert

RAPHON, HANS
Northeim – 1511/12 Northeim

VIER WEIBLICHE HEILIGE (geöffneter Zustand)
HEILIGE UND STIFTER (geschlossener Zustand)
Flügelaltar, im Schrein Schnitzfigur der Madonna
Tempera/Eichenholz   je Flügel 135 × 41
Aus St. Alexander zu Einbeck

KREUZIGUNGSALTAR, 1506
HEILIGE SIPPE, KREUZIGUNG CHRISTI,
DER HL. GEORG (geöffneter Zustand)
DIE HEILIGEN HIERONYMUS, PAULUS
UND ANTONIUS (geschlossener Zustand)
Flügelaltar
Tempera/Lindenholz   Mittelbild 199 × 221,
je Flügel   199 × 110
bezeichnet und datiert
Aus der St.-Jürgen-Kapelle zu Göttingen
Abb. 27

JODOCUSLEGENDE, 1507
Altarflügel von einem datierten Schrein
Tempera/Kiefernholz   168 × 70,5
Aus der ehemaligen Chorherrnstiftskirche
Reinhausen bei Göttingen

RECCO, GIUSEPPE
Neapel 1634 – 1695 Alicante

FRUCHTSTÜCK
Leinwand   77 × 88
Abb. 98

REHBERG, FRIEDRICH
Hannover 1758 – 1835 München

MYTHOLOGISCHE SZENE
Leinwand   64 × 56
bezeichnet

REINER, WENZEL LORENZ
Prag 1689 – 1743 Prag

HEROISCHE LANDSCHAFT, um 1740
Leinwand   43,6 × 32,8

REINHOLD, HEINRICH
Gera 1788 – 1825 Rom

LANDSCHAFTSSTUDIE
AUS DEN SABINERBERGEN, 1821
Papier   17,4 × 22,5

SÜDLICHE LANDSCHAFT (WOLKENSTUDIE), 1822
Papier   12,6 × 21,6

REITER, JOHANN BAPTIST
Urfahr bei Linz 1813 – 1890 Wien

MÄDCHEN AM FRÜHSTÜCKSTISCH, 1846
Leinwand   44,7 × 34,6
bezeichnet und datiert

REMBRANDT HARMENSZ VAN RIJN
Leiden 1606 – 1669 Amsterdam

LANDSCHAFT MIT DER TAUFE
DES KÄMMERERS, 1636
Leinwand   85,5 × 108
bezeichnet und datiert
Leihgabe
Farbtafel 13

RENOIR, AUGUSTE
Limoges 1841 – 1919 Cagnes

KÜSTENLANDSCHAFT, nach 1900
Leinwand   22 × 33
bezeichnet

RICCI, SEBASTIANO
Belluno 1659 – 1734 Venedig

ARCHIMEDES VERWEIGERT DEM RÖMISCHEN
SOLDATEN DEN GEHORSAM, um 1720 – 22
Leinwand   42,3 × 60,2
Leihgabe der Nds. Sparkassenstiftung
Farbtafel 25

RICHTER, LUDWIG
Dresden 1803 – 1884 Dresden

DIE KIRCHE ZU GRAUPEN IN BÖHMEN, 1836
Birnbaumholz   56,7 × 70,2
bezeichnet und datiert
Abb. 127

RIEPENHAUSEN, JOHANNES
Göttingen 1788 – 1860 Rom

MADONNA MIT KIND UND JOHANNESKNABE,
um 1825
Leinwand   51,2 × 45,4
bezeichnet und datiert
Leihgabe

RING II., LUDGER TOM
Münster 1522 – 1583 Braunschweig

MÄNNERBILDNIS, 1566
Holz   24 × 19
bezeichnet und datiert
Abb. 40

RING II., LUDGER TOM zugewiesen

DAMENBILDNIS, 1579
Eichenholz   73,5 × 57
datiert

ROBERT, HUBERT
Paris 1733 – 1808 Paris

BRUNNEN IM PARK, 1797
Leinwand   56 × 40
bezeichnet und datiert

ROHDEN, JOHANN MARTIN VON
Kassel 1778 – 1868 Rom

TIVOLI VON WESTEN, 1800 – 10
Papier auf Leinwand   45,3 × 63,3
Abb. 112

ROMANINO, GIROLAMO eigentlich ROMANI
Brescia 1485 – 1566 Brescia

ECCE HOMO
Leinwand   79 × 67,8
bezeichnet
Abb. 24

ROMEYN, WILLEM
Haarlem 1624 – nach 1695 Haarlem

LANDSCHAFT MIT HERDE
Leinwand   41 × 35,5
bezeichnet

HERDE AM WASSERLOCH
Leinwand   30,5 × 46
bezeichnet

ROOS, JOHANN HEINRICH
Reipoldskirchen 1631 – 1685 Frankfurt (Main)

LANDSCHAFT IN MORGENSTIMMUNG, 1669

LANDSCHAFT MIT TEMPELRUINE
IN ABENDSTIMMUNG, 1669

Gegenstücke, beide bezeichnet und datiert
Kupfer   je 67,8 × 51,6
Abb. 92a und b

ROTTMANN, CARL
Handschuhsheim bei Heidelberg
1797 – 1850 München

SIKYON MIT KORINTH, 1836
Leinwand   49,8 × 60
bezeichnet und datiert
Abb. 119

ROTTMANN, CARL (?)

HEIDELANDSCHAFT BEI GEWITTER
Pappe   22 × 31,4

ROUSSEAU, THÉODORE
Paris 1812 – 1867 Barbizon

WALDRAND BEI FONTAINEBLEAU
MIT SONNENUNTERGANG (Studie), 1848 – 49
Karton auf Holz   23 × 35,5
bezeichnet

RUBENS, PETER PAUL
Siegen (Westfalen) 1577 – 1640 Antwerpen

MADONNA MIT STEHENDEM KIND, 1616 – 18
Holz   62,5 × 49
Abb. 55

DER CENTAUR NESSUS ENTFÜHRT DIE DEJANIRA
Eichenholz   70,5 × 110
Farbtafel 18

RUISDAEL, JACOB ISAACKSZ VAN
Haarlem 1628 – 1682 Haarlem

TEICH AM WALDRAND, um 1670
Leinwand auf Sperrholz   69,5 × 56,5
bezeichnet

WALDLANDSCHAFT
Leinwand   57,5 × 76
Abb. 86

RUISDAEL, SALOMON VAN
Naarden um 1603 – 1670 Haarlem

FLUSSMÜNDUNG MIT BEFESTIGTER STADT, 1648
Eichenholz   84,5 × 115,5
bezeichnet und datiert
Farbtafel 12

RYCKAERT III., DAVID
Antwerpen 1612 – 1661 Antwerpen

SCHMAUSENDE GESELLSCHAFT
Leinwand   121 × 171,5

RYSSELBERGHE, THÉO VAN
Gent 1862 – 1926 Saint-Clair

BILDNIS CAMILLE VAN MONS, 1886
Leinwand   89 × 70
bezeichnet und datiert
Abb. 150

SALVI, GIOVANNI BATTISTA,
genannt SASSOFERRATO
Sassoferrato 1609 – 1685 Rom

MARIA MIT DEM KIND
Leinwand   47 × 37

SANDROCK, LEONHARD
Neumark (Schlesien) 1867 – 1945 Berlin

DIE SCHUTE
Leinwand auf Pappe   34,4 × 50,3
bezeichnet

SAVERY, ROELANT
Courtrai 1576 – 1639 Utrecht

GEBIRGSLANDSCHAFT, 1608
Abb. 51

WALDLANDSCHAFT MIT EREMIT, 1608

Gegenstücke, beide bezeichnet und datiert
Kupfer   je 20 × 16

SCARSELLINO, eigentlich IPPOLITO SCARSELLA
Ferrara 1551 – 1620 Ferrara

DAS LEBEN HIOBS:

1. HIOBS WOHLSTAND
2. HIOBS KINDER BEIM MAHLE
3. GOTT SPRICHT MIT DEM TEUFEL
4. DER RAUB DER HERDE
5. DAS FEUER VERZEHRT DIE HERDE
6. DER RAUB DER CHALDÄER
7. DER UNTERGANG DER KINDER
8. HIOB IM ELEND

Leinwand auf Holz   1., 4.–6. je 39,5 × 47,5
2.–3., 7.–8.   je 68 × 38

SCHAEFFER, CARL
tätig in Wien in der ersten Hälfte
des 19. Jahrhunderts

ZEUSTEMPEL IN MYLASA, 1833
Holz   61,3 × 84,7
bezeichnet und datiert

SCHIRMER, AUGUST WILHELM FERDINAND
Berlin 1802 – 1866 Nyon (Genfer See)

LANDSCHAFT MIT DER FLUCHT
NACH ÄGYPTEN, 1829
Leinwand auf Pappe   26 × 35
bezeichnet und datiert

SCHIRMER, JOHANN WILHELM
Jülich 1807 – 1863 Karlsruhe

GEGEND BEI TERNI, um 1851
Leinwand   162 × 132,4
bezeichnet
Abb. 123

SCHOTEL, JAN CHRISTIAN
Dordrecht 1787 – 1838 Dordrecht

KATWIJK, um 1830
Holz   38 × 52,2
bezeichnet
Abb. 124

SCHUCH, CARL
Wien 1846 – 1903 Wien

LANDSCHAFT BEI FERCH, 1878
Leinwand   61,5 × 76
bezeichnet und datiert

STILLEBEN MIT PORREE, 1885
Leinwand auf Sperrholz   60,5 × 76
bezeichnet

STILLEBEN MIT ÄPFELN UND KEKSDOSE,
um 1887
Leinwand   63 × 78
Abb. 143

WASSERMÜHLE BEI SAUT DU DOUBS,
um 1887
Leinwand auf Sperrholz   60,8 × 80,2
bezeichnet

SCHULZ, HEINRICH, eigentlich SCHULTZE
Hannover 1797 – 1886 Hannover

GEWANDSTUDIE, um 1823 – 26
Papier   15,5 × 14,2

ANTIKENSTUDIE (weiblicher Torso)
Leinwand   44,3 × 23,2

ANTIKENSTUDIE (Kopf einer Hera oder Demeter)
Leinwand   44,3 × 31,5

HÜTTE MIT GERÜMPEL, 1836
Papier   15,4 × 18,9
bezeichnet und datiert

HUNDESTUDIEN
Leinwand   26,8 × 32,2

SCHWIND, MORITZ VON
Wien 1804 – 1871 Niederpöcking
(Starnberger See)

DER KÜNSTLER MIT SEINER FAMILIE VOR SEI-
NEM LANDHAUS AM STARNBERGER SEE, 1864
Leinwand   151 × 83
Abb. 138

SEGANTINI, GIOVANNI
Arco (Südtirol) 1858 – 1899 Pontresina

STEIRISCHER HAHN
Leinwand   51,5 × 82,2

SEGHERS, DANIEL
Antwerpen 1590 – 1661 Antwerpen

DIE HEILIGE FAMILIE, IM BLUMENKRANZ
Eichenholz   93 × 65

SIBERECHTS, JAN
Antwerpen 1627 – um 1703 London

DER ÜBERSCHWEMMTE FAHRWEG, 1664
Leinwand   88 × 103
bezeichnet und datiert
Abb. 60

SIGNAC, PAUL
Paris 1863 – 1935 Paris

STA. MARIA DELLA SALUTE IN VENEDIG, 1908
Leinwand   65,3 × 81
bezeichnet und datiert
Farbtafel 34

SIMMLER, FRIEDRICH CARL JOSEPH
Hanau 1801 – 1872 Aschaffenburg

HIRTENLEBEN, 1834
Leinwand   36 × 45,5
bezeichnet und datiert

SISLEY, ALFRED
Paris 1839 – 1899 Moret-sur-Loing

ENGLISCHE KÜSTE (BUCHT VON LONGLAND), 1897
Leinwand auf Pappe   53 × 64,5
bezeichnet und datiert
Farbtafel 35

SLEVOGT, MAX
Landshut 1868 – 1932 Neukastel (Pfalz)

DAS KONZERT, 1899
Pappe   21,5 × 33,5
bezeichnet

PAPAGEIENMANN, 1901
Leinwand   81,5 × 65,3
bezeichnet und datiert
Abb. 154

MÄDCHEN VOR DEM LÖWENKÄFIG, 1901
Leinwand   54,5 × 81,5
bezeichnet und datiert

ZWEI LEOPARDEN IM KÄFIG, 1901
Leinwand auf Pappe   49 × 34
bezeichnet und datiert

DIE CHAMPAGNER-ARIE AUS ‚DON GIOVANNI‘
(ANDRADE AN DER RAMPE), 1902
Leinwand   105 × 131,5
bezeichnet und datiert
Farbtafel 39

DAME MIT KATZE
(FRAU RITTMEISTER KELLER), 1902
Leinwand   100,5 × 69,5
bezeichnet

PFÄLZER LANDSCHAFT IM NEUSCHNEE, 1909
Leinwand   64,2 × 78,2
bezeichnet und datiert

ANSICHT VON FRANKFURT AM MAIN, 1911
Leinwand   64,5 × 74,5
bezeichnet und datiert

EINZUG 17. 6. 1913, 1913
Leinwand   48,3 × 57,5
bezeichnet und datiert

BLUMENSTILLEBEN IM FREIEN, 1917
Leinwand   63 × 82,5
bezeichnet und datiert

DIE AUKTION DER SAMMLUNG HULDSCHINSKY,
BERLIN, 1928
Leinwand   51,5 × 62,5
bezeichnet und datiert
Leihgabe

SELBSTBILDNIS, 1930 – 31
Leinwand   82 × 54
Abb. 156

SNYDERS, FRANS
Antwerpen 1579 – 1657 Antwerpen

STILLEBEN BEIM WILDHÄNDLER, nach 1630
Leinwand   119 × 180,5
Abb. 62

IL SODOMA, eigentlich GIOVANNI ANTONIO
BAZZI
Vercelli 1477 – 1549 Siena

LUCRETIA
Pappelholz   83,5 × 47,5
Farbtafel 6

SOLIMENA, FRANCESCO
Canale di Serino 1657 – 1747 Barra

SUPRAPORTE MIT EINEM GEFESSELTEN SKLAVEN
NACH LINKS

SUPRAPORTE MIT EINEM GEFESSELTEN SKLAVEN
NACH RECHTS

Gegenstücke
Leinwand   je 36,5 × 47

SPERL, JOHANN
Buch bei Fürth 1840 – 1914 Aibling

LEIBLS WOHNHAUS IN AIBLING, 1880 – 81
Leinwand   60,5 × 43,8
bezeichnet

SPITZWEG, CARL
München 1808 – 1885 München

DIE POSTKUTSCHE, um 1840 – 45
Pappe   25,5 × 23
bezeichnet

DAS STÄNDCHEN, um 1854
Leinwand   49 × 27,2
bezeichnet
Abb. 131

DER LIEBLINGSPLATZ, vor 1855
Leinwand   40 × 22
bezeichnet

STRASSENMUSIKANTEN, um 1855
Papier auf Leinwand   47 × 26
bezeichnet

DER GRATULANT, um 1860
Eichenholz   21 × 12
bezeichnet
Abb. 130

LANDSCHAFT MIT BADENDEN, um 1875
Leinwand   53,8 × 32
bezeichnet

ALTES STÄDTCHEN, um 1880
Pappe   15,3 × 34
bezeichnet

SPRANGER, BARTHOLOMÄUS
Antwerpen 1546 – 1611 Prag

BACCHUS UND VENUS, um 1597
Leinwand   172 × 114
Leihgabe
Farbtafel 9

SPRINGINKLEE, HANS zugewiesen
tätig seit 1511; – 1540 in Nürnberg

BILDNIS DES ASTRONOMEN
JOHANN SCHÖNER, 1528
Lindenholz   58,5 × 43,5
datiert
Abb. 32

STAUFFER-BERN, KARL
Trubschachen 1857 – 1891 Florenz

DAMENBILDNIS, um 1883
Leinwand   151,3 × 101,7

STEFFECK, KARL
Berlin 1818 – 1890 Königsberg

BILDNIS EINES FREUNDES, 1846
Leinwand   39,5 × 34,5
bezeichnet und datiert

STEINBRÜCK, EDUARD KARL
Magdeburg 1802 – 1882 Landeck (Schlesien)

MADONNA IN DER WERKSTATT-TÜR, 1832
Leinwand   181,5 × 137,3
bezeichnet und datiert
Abb. 120

STRALEN, ANTHONIE VAN
Gorinchem 1594 – 1641 Amsterdam

WINTERLANDSCHAFT
Eichenholz   24,5 × 37,5

STROZZI, BERNARDO
Genua 1581 – 1644 Venedig

DER EVANGELIST JOHANNES
Leinwand   66 × 52
Abb. 95

SWEERTS, MICHIEL
Brüssel 1624 – 1664 Goa

BADENDE MÄNNER IM ABENDLICHT
Leinwand   63,3 × 87
Abb. 61

TADDEO DI BARTOLO
Siena um 1362 – 1422 Siena

GRABLEGUNG DER MARIA
Tempera/Pappelholz   33,5 × 29,5
Abb. 10

DAS LEBEN DES HL. FRANZ VON ASSISI, 1403:

1. FRANZISKUS VOR DEM SULTAN
   VON BABYLONIEN
2. PAPST HONORIUS III. BESTÄTIGT DEN ORDEN
3. DIE WEIHNACHTSMESSE VON GRECCIO
   Abb. 11
4. FRANZISKUS ERSCHEINT IM FEURIGEN WAGEN
5. FRANZISKUS ERWECKT DEN QUELL
   IN DER EINÖDE
6. FRANZISKUS PREDIGT DEN VÖGELN

Tempera/Pappelholz
rechteckige Bildfelder mit eingezogenen Drei-
pässen als oberer Bildbegrenzung   je 34 × 35

TENIERS II., DAVID
Antwerpen 1610 – 1690 Brüssel

DER ALTE RAUCHER
Kupfer   21 × 31
bezeichnet
Abb. 63

THOMA, HANS
Bernau (Schwarzwald) 1839 – 1924 Karlsruhe

GESANG IM GRÜNEN, um 1875
Leinwand   155 × 114,5
bezeichnet
Abb. 136

MUTTER UND KIND, 1885
Leinwand auf Pappe   62 × 73,5
bezeichnet und datiert

DER WANDERER IM SCHWARZWALD, 1891
Leinwand auf Sperrholz   68,6 × 81,5
bezeichnet und datiert

TIARINI, ALESSANDRO
Bologna 1577 – 1668 Bologna

JOHANNES REICHT MARIA DAS ABENDMAHL
Leinwand   102,5 × 132,5

TIEPOLO, GIOVANNI BATTISTA
Venedig 1696 – 1770 Madrid

DIE WUNDERHEILUNG DES ZORNIGEN SOHNES,
um 1754 – 60
Leinwand   48 × 29
Farbtafel 23

TINTORETTO, DOMENICO
Venedig 1560 – 1635 Venedig

VENEZIANISCHER NOBILE
Leinwand   58 × 43
Abb. 94

TISCHBEIN, JOHANN HEINRICH der Ältere
Haina 1722 – 1789 Kassel

DER KÜNSTLER UND SEINE TÖCHTER, 1774
Leinwand   69 × 57
bezeichnet und datiert

TISCHBEIN, JOHANN HEINRICH WILHELM
Haina 1751 – 1829 Eutin

FAMILIENSZENE, 1778
Leinwand   80 × 65,2
bezeichnet und datiert
Abb. 108

TOEPUT, LODEWYK, genannt POZZOSERRATO
Antwerpen 1550 – 1603/5 Treviso

LANDSCHAFT MIT DEM STURZ DES PHAËTON,
1599
Leinwand   60 × 82
bezeichnet und datiert
Abb. 47

TROY, FRANÇOIS DE
Toulouse 1645 – 1730 Paris

PRINZ JACOB EDUARD STUART
(1688 – 1766), 1700
Leinwand   71 × 58
ehemals rücks. bezeichnet und datiert

TROYON, CONSTANT
Sèvres 1810 – 1865 Paris

BAUERNHOF IN DER NORMANDIE, um 1840 – 45
Holz   34,5 × 61
bezeichnet

TRÜBNER, WILHELM
Heidelberg 1851 – 1917 Karlsruhe

ZWEI HÄNDE, 1870
Leinwand   24,5 × 37
bezeichnet und datiert

BALGENDE BUBEN, 1872
Leinwand   54 × 71,5
bezeichnet und datiert
Farbtafel 30

RAUCHENDER MOHR, 1873
Leinwand   61,5 × 49,5
bezeichnet und datiert

JUNGES MÄDCHEN, um 1895 – 1900
Leinwand   53 × 45,2
bezeichnet

UDEN, LUCAS VAN
Antwerpen 1595 – 1673 Antwerpen

LANDSCHAFT MIT KIRCHE
Leinwand   41 × 71

UHDE, FRITZ VON
Wolkenburg (Sachsen) 1848 – 1911 München

IM ATELIER, 1881
Leinwand   85 × 120

MANN, DEN ROCK ANZIEHEND, 1885
Leinwand   156 × 117,2
bezeichnet

STEHENDER MANN IN GANZER FIGUR, 1886
Leinwand   191,5 × 76
bezeichnet
Leihgabe

DIE PREDIGT CHRISTI, 1904
Holz   93 × 69
bezeichnet
Abb. 139

BETTLER, um 1906
Pappe auf Holz   101 × 70
bezeichnet

URLAUB, GEORG
Ansbach 1749 – 1811 Marburg

FREIIN VON ROTHENHAN, 1773
Leinwand   67 × 49
bezeichnet und datiert

URY, LESSER
Birnbaum 1862 – 1931 Berlin

AM GARDASEE, 1895
Pastell/Pappe   53 × 38
bezeichnet und datiert

GRUNEWALDSEE, um 1900
Pastell/Pappe   39,6 × 49,7

VAILLANT, WALLERANT
Lille 1623 – 1677 Amsterdam

SELBSTBILDNIS ALS KRIEGER, um 1645 – 47
Leinwand   63,5 × 57,5
Farbtafel 15

VELDE II., WILLEM VAN DE
Leiden 1633 – 1707 Greenwich

SEEGEFECHT, 1673
Leinwand   34,5 × 50,8
bezeichnet und datiert
Abb. 82

VERMEER VAN HAARLEM, JAN
Haarlem 1628 – 1691 Haarlem

HOLLÄNDISCHE FLACHLANDSCHAFT
Eichenholz   41 × 71
Abb. 87

VERMEERSCH, IVO AMBROS
Maldeghem bei Gent 1809 – 1852 München

AM DOM ZU ERFURT, 1848
Leinwand   59 × 70,5
bezeichnet und datiert

VERMEYEN, JAN CORNELISZ
Beverwijk um 1500 – 1559 Brüssel

KAISER FERDINAND I.
Holz   54 × 45
Leihgabe

VERNET, HORACE
Paris 1789 – 1863 Paris

WEIBLICHER STUDIENKOPF
Leinwand   47 × 37
bezeichnet

VLÄMISCH (BRÜGGE), um 1480

LEGENDE DES HL. GEORG
Eichenholz   83 × 73
Aus einer Georgskapelle zu Brügge

VLÄMISCH (ANTWERPEN?),
Ende 15. Jahrhundert

MARIENLEGENDE UND KINDHEIT CHRISTI
(geöffneter Zustand)
ANBETUNG DER KÖNIGE
(geschlossener Zustand)

Flügelaltar mit oberem und unterem (geteilten)
Flügelpaar, im Schrein Schnitzwerke
Tempera/Eichenholz   obere Flügel je 73,5 × 36,
untere Flügelteile je 121 × 47
Aus der Schloßkapelle zu Gifhorn

VOGELER, HEINRICH
Bremen 1872 – 1942 Kasachstan

HEIDELANDSCHAFT, 1910
Leinwand   50 × 61
bezeichnet und datiert
Leihgabe

VOLTZ, JOHANN FRIEDRICH
Nördlingen 1817 – 1886 München

AN DER TRÄNKE, 1840 – 50
Eichenholz   26 × 34,5
bezeichnet

VOS, CORNELIS DE
Hulst 1584 – 1651 Antwerpen

BILDNIS EINES ELFJÄHRIGEN MÄDCHENS
MIT HÜNDCHEN, 1633
Holz   105 × 82
datiert
Abb. 57

BILDNIS EINES EHEPAARES, 1633
Leinwand   154 × 140,5
datiert

VRANCX, SEBASTIAN
Antwerpen 1573 – 1647 Antwerpen

DIE SIEBEN WERKE DER BARMHERZIGKEIT
MIT DER ANSICHT VON ROM, 1608
Kupfer   53,5 × 71,5
bezeichnet und datiert
Abb. 44

VRIES, ABRAHAM DE zugewiesen
Rotterdam um 1590 – 1650/62 Den Haag (?)

BRUSTBILD EINER ÄLTEREN FRAU, 1632
Eichenholz   61,5 × 50
datiert

VUILLARD, EDOUARD
Cuiseaux 1868 – 1940 La Baule

THEATERSZENE (ELEKTRA), 1895
Pappe   32 × 52
bezeichnet

BOULEVARD DES BATIGNOLLES, um 1910
Leimfarbe/Papier auf Leinwand   78 × 96
bezeichnet
Farbtafel 36

WALDMÜLLER, FERDINAND GEORG
Wien 1793 – 1865 Hinterbrühl bei Baden
(Niederösterreich)

BILDNIS BARON MOSER, um 1833 – 35
Pappe   74 × 58,2
Abb. 122

ABENDGEBET, 1846
Eichenholz   60,6 × 76,5
bezeichnet und datiert

GROSSMUTTER, 1862
Holz   57 × 49
bezeichnet und datiert
Leihgabe

WASMANN, FRIEDRICH
Hamburg 1805 – 1886 Meran

BLICK INS ETSCHTAL MIT KINDERN
AUF EINEM HÜGEL, 1831
Papier auf Holz   20,5 × 35,8
Abb. 118

MARIA ANNA LUN, GEBORENE TANZER,
ALS BRAUT, 1841
Leinwand   30,8 × 24
bezeichnet und datiert

WEIROTTER, FRANZ EDMUND
Innsbruck 1730 – 1771 Wien

AM HAFEN, 1760 – 70
Eichenholz   38,5 × 56,5
bezeichnet

WEISGERBER, ALBERT
St. Ingbert 1878 – 1915 Fromelles bei Ypern

SELBSTBILDNIS, 1908
Leinwand   104,5 × 67
bezeichnet und datiert

DER HEILIGE SEBASTIAN, 1909
Leinwand   100,5 × 86
bezeichnet und datiert

WEITSCH, JOHANN FRIEDRICH
Hessendamm bei Wolfenbüttel
1723 – 1802 Salzdahlum

LANDSCHAFT, 1769
Leinwand   70,5 × 81,5
bezeichnet und datiert

WERFF, ADRIAEN VAN DER
Kralinger-Ambacht bei Rotterdam 1659 – 1722
Rotterdam

CHRISTUS UND DIE SAMARITERIN, 1702
Holz   32,5 × 42
bezeichnet und datiert

WEYDEN, ROGIER VAN DER Nachfolger
Tournai 1399 – 1464 Brüssel

MARIA MIT DEM KINDE
Eichenholz   49 × 32,5 (oben abgerundet)

WILSON, RICHARD
Penegoes (Montgomeryshire) 1714 – 1782
bei Llanberis (Caernarvonshire)

DER PO NAHE FERRARA, um 1776
Leinwand   42,7 × 53
Farbtafel 20

WITTE, EMANUEL DE
Alkmaar um 1617 – 1692 Amsterdam

DAS INNERE EINER KIRCHE, um 1680
Leinwand   118 × 98
bezeichnet und unleserlich datiert
Abb. 85

WOENSAM VON WORMS, ANTON
Worms (?) vor 1500 – 1541 Köln

DISPUTATION DER HL. KATHARINA
Eichenholz   48,5 × 48,5

WOPFNER, JOSEPH
Schwaz 1843 – 1927 München

ANSICHT VON BAD REICHENHALL, 1878
Leinwand   41 × 88
bezeichnet und datiert
Leihgabe

WOUWERMAN, PHILIPS
Haarlem 1619 – 1668 Harlem

LANDSCHAFT
Holz   16 × 18,2
bezeichnet

SOLDATEN HALTEN AUF DEM MARSCH
Holz   33,2 × 46,2
bezeichnet
Abb. 77

WYNANTS, JAN
Haarlem 1620/5 – 1684 Amsterdam

SOMMERLANDSCHAFT, um 1670
Leinwand   90 × 114

ZANCHI, ANTONIO
Este 1631 – 1722 Venedig

ALLEGORIE: ERKENNE DICH SELBST
Leinwand   100 × 123

ZICK, JANUARIUS
München 1730 – 1797 Ehrenbreitstein

ALLEGORIE AUF NEWTONS VERDIENSTE
UM DIE GRAVITATIONSLEHRE
Leinwand   63 × 72,5

ALLEGORIE AUF NEWTONS VERDIENSTE
UM DIE OPTIK
Leinwand   62,5 × 72,5

Gegenstücke
Abb. 109 a und b

ZIESENIS, JOHANN GEORG
Kopenhagen 1716 – 1776 Hannover

SOPHIE SABINE CHRISTINE VON STEINBERG,
GEBOREN 1734
Leinwand   93 × 75,5

HENNING HEINRICH SCHLOO (1707 – 1783)

ANNA SCHLOO, GEBORENE BODENSTAB
(1718 – 1796)

Gegenstücke
Leinwand   je 95 × 76
Abb. 103 a und b

ZUCCARELLI, FRANCESCO
Pitigliano bei Grosseto 1702 – 1788 Florenz

ITALIENISCHE FLUSSLANDSCHAFT
Leinwand   33 × 45,7

ZÜGEL, HEINRICH
Murrhardt (Württemberg) 1850 – 1941 München

KÜHE IM WASSER, 1900
Leinwand   70,5 × 100
bezeichnet und datiert

ANHANG

In der Galerie ausgestellte Glasgemälde

DEUTSCH, 2. Hälfte des 15. Jahrhunderts

MUTTERGOTTES ÜBER DER MONDSICHEL
Farbglas   Dreieckscheibe   Seiten 54/55/59

KNIENDER ENGEL MIT WAPPENSCHILD
Farbglas 52 × 36

HÖLZEL, ADOLF
Olmütz 1853 – 1934 Stuttgart

GLASFENSTER, 1932/1967
40 (5 × 8) Teilfelder
Farbglas   je Feld   50 × 30,5

NIEDERSÄCHSISCH, 14. Jahrhundert

WAPPEN DER STADT LÜNEBURG

HELM ZUM WAPPEN DER STADT LÜNEBURG

Gegenstücke
Farbglas   Rundscheiben   Ø je 50

In der Galerie ausgestellte Kartons und bildmäßige Zeichnungen

CORNELIUS, PETER VON
Düsseldorf 1783 – 1867 Berlin

JOSEPH DEUTET DEM PHARAO DIE TRÄUME, 1816
Karton zum Fresko der Casa Bartholdy
(Palazzo Zuccari) in Rom
Schwarze Kreide   240 × 330

NAUE, JULIUS ERDMANN AUGUST
Köthen 1833 – 1907 München

KÖNIG HEINRICH I. UND PRINZESSIN ILSE, 1867
Farbstifte und Aquarell/Karton   90,5 × 485
bezeichnet und datiert

OVERBECK, JOHANN FRIEDRICH
Lübeck 1789 – 1869 Rom

MARIA MIT DEM KINDE
Schwarze Kreide/Karton 86 × 49

SCHADOW, WILHELM
Berlin 1788 – 1862 Düsseldorf

DIE KLAGE JAKOBS UM JOSEPH, 1816
Karton zum Fresko der Casa Bartholdy
(Palazzo Zuccari) in Rom
Schwarze Kreide mit Sepia   237 × 205

VEIT, PHILIPP
Berlin 1793 – 1877 Mainz

DIE HL. ANNA, DIE JUNGFRAU MARIA DAS LESEN
LEHREND, 1816
Schwarze Kreide/Karton   200 × 145

1. Niedersächsisch (?) gegen Ende des 13. Jahrhunderts, Das Entschlafen der Gottesmutter

2. Bertram von Minden, Der Judaskuß von der Mitteltafel des Passionsaltars

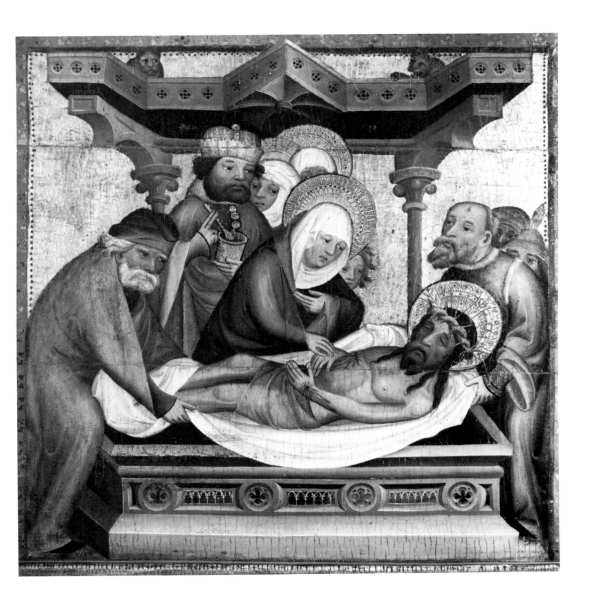

3. Bertram von Minden, Die Grablegung Christi von der Mitteltafel des Passionsaltars

4. Niedersächsisch-Hessisch um 1400, Die Geißelung aus der Passion Christi

5. Meister des Jacobikirchenaltars, Christus vor Pilatus und Kreuztragung

6. Niedersächsisch um 1430, Christus in der Vorhölle

7. Niedersächsisch (Hildesheim) um 1420, Bekehrung Pauli

8. Meister der Goldenen Tafel, Die eherne Schlange von der Goldenen Tafel

9. Meister des Barfüßeraltars, Die Kreuzigung Christi (Mittelbild der Marien- und Passionsgeschichte)

10. Taddeo di Bartolo, Grablegung Mariens

11. Taddeo di Bartolo, Die Weihnachtsmesse von Greccio

12. Giovanni del Ponte, Die heiligen Nikolaus von Bari und Benedikt

13. Pesellino, Madonna

14. Giovanni Francesco da Rimini, Imago Pietatis mit Maria, Johannes und einem Stifterpaar

15. Sandro Botticelli, Verkündigung

16. Apollonio di Giovanni, Das Gastmahl aus der Geschichte von Äneas und Dido

17a,b. Baldassare d'Este, Galeotto I. Pico della Mirandola und Bianca Maria d'Este

18. Giacomo Pacchiarotti, Die Verlobung der hl. Katharina von Siena und der hl. Bernhardin

19. Marco di Antonio Palmezzano, Madonna mit Kind und Johannesknabe

20. Jacopo da Montagnana, Beweinung Christi

21. Pietro Perugino, Der hl. Petrus in einem Früchtekranz

22. Domenico Panetti, Thronende Madonna mit den heiligen Hieronymus und Katharina

23. Lorenzo di Credi, Bildnis des Franciscus Alumnus

24. Girolamo Romanino, Ecce homo
25. Raffael, Bildnis einer jungen Frau

26. Albrecht Dürer, Kreuztragung Christi
27. Hans Raphon, Georgs Kampf mit dem Drachen vom Kreuzigungsaltar

28. Hans Holbein I., Christus und Maria auf Golgatha

29. Hans Süß von Kulmbach, Die heiligen Johannes und Magdalena

30. Hans Mielich, Kreuzigung

31. Hans Kemmer, Christus zwischen zwei knienden Stiftern

32. Hans Springinklee, Bildnis des Astronomen Johann Schöner

33. Lucas Cranach I., Venus mit Amor

34. Lucas Cranach I., Lucretia

35. Jörg Breu I., Bildnis eines bartlosen jungen Mannes

36. Lucas Cranach I., Kreuzigung Christi

37. Lucas Cranach I., Martin Luther auf dem Totenbett

38. Bernaert van Orley, Die Dornenkrönung

39a, b. Bartholomäus Bruyn I., Bildnis eines Stifters und Bildnis einer Stifterin

40. Ludger tom Ring II., Männerbildnis

41. Adriaen Thomasz Key, Bildnis einer alten Dame

44. Sebastian Vrancx, Die sieben Werke der Barmherzigkeit mit der Ansicht von Rom

50a, b. Jan Brueghel I., Rückkehr vom Markt (Rheingegend) und Bewaldete Landschaft

51. Roelant Savery, Gebirgslandschaft

54. Anthonis van Dyck, Apostel Paulus

55. Peter Paul Rubens, Madonna mit stehendem Kind

56. Anthonis van Dyck, Herr von Santander

57. Cornelis de Vos, Bildnis eines elfjährigen Mädchens mit Hündchen

58. Jacob van Es, Blumenstilleben

59a. Cornelis van Poelenburgh, Bacchus, Venus und Ceres

59b. Cornelis van Poelenburgh, Büßende Magdalena

60. Jan Siberechts, Der überschwemmte Fahrweg

61. Michiel Sweerts, Badende Männer im Abendlicht

62. Frans Snyders, Stilleben beim Wildhändler

63. David Teniers II., Der alte Raucher

64. Jacob Jacobsz van Geel, Landschaft mit der Ruhe auf der Flucht

65. Lambert Jacobsz, Elisa und Gehasi

66. Adriaen Brouwer, Der Läuseknacker

67. Pieter Codde, Rauferei

68. Paulus Moreelse, Selbstbildnis

69. Cornelis van Haarlem, Weiblicher Halbakt mit Rose

70. Anthonie Palamedesz, Selbstbildnis

71. Willem Kalf, Stilleben

72. Paulus Lesire, Brustbild eines jungen Mannes

73. Gerard Dou, Bildnis eines Mohren

74. Pieter Fransz de Grebber, Verkündigung

75. Jan van Bylert, Die fünf Sinne

76. Isaack van Ostade, Wirtshausszene

77. Philips Wouwerman, Soldaten halten auf dem Marsch

78a. Gerrit Adriaensz Berckheyde, Ansicht von St. Maria im Kapitol zu Köln

78b. Gerrit Adriaensz Berckheyde, Ansicht von St. Pantaleon und St. Gereon zu Köln

79. Claes Berchem, Hirten im Mondschein bei Fackellicht

80. Willem Cornelisz Duyster, Der polnische Edelmann

81. Pieter de Hooch, Frau bei der Handarbeit am Fenster

82. Willem van de Velde II., Seegefecht

83. Claes Berchem, Herbstlandschaft mit Eichenwald

84. Karel Dujardin, Bildnis eines vornehmen Herrn

85. Emanuel de Witte, Das Innere einer Kirche

86. Jacob van Ruisdael, Waldlandschaft

87. Jan Vermeer van Haarlem, Holländische Flachlandschaft

88. Aert de Gelder, Bildnis eines jungen Mannes

89. Nicolaes Maes, Herrenbildnis

90 Jean-François Millet, *Rocky Landscape with*

91. Gaspard Poussin, Italienische Landschaft

92a, b. Johann Heinrich Roos, Landschaft in Morgenstimmung und Landschaft mit Tempelruine in Abendstimmung

93a, b. Francesco Giovane, Erminia sucht bei den Hirten Zuflucht und Narzissus an der Quelle

94. Domenico Tintoretto, Venezianischer Nobile

95. Bernardo Strozzi, Der Evangelist Johannes

96. Giuseppe Maria Crespi, Die büßende Magdalena
97. Giovanni Ghisolfi und Salvator Rosa, Der Aufbau des Stadttores von Karthago

98. Giuseppe Recco, Fruchtstück

99. Alessandro Magnasco, Landschaft

100. Giovanni Paolo Pannini, Inneres der Peterskirche in Rom

101. Michele Marieschi, Hof eines Renaissancepalastes

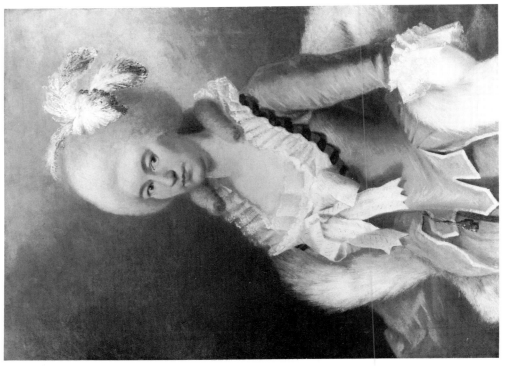

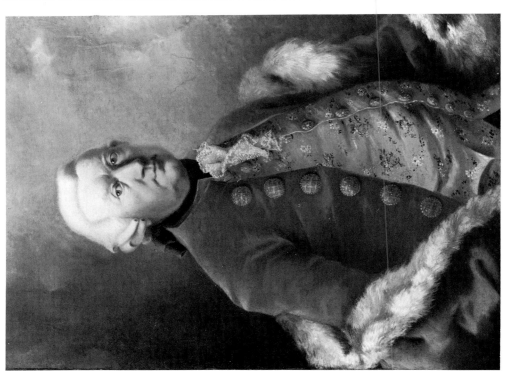

102a, b. Alessandro Longhi, Herrenbildnis und Damenbildnis

103a,b. Johann Georg Ziesenis, Henning Heinrich Schloo und Anna Schloo

104. Giovanni Battista Piazzetta, Judith und Holofernes

105. Rosalba Carriera, Herrenporträt mit Maske

106. Giovanni Battista Pittoni II., Madonna mit Kind
und den Heiligen Leonhard und Franz von Paola

107. Christian Wilhelm Dietricy, Dame mit Strohhut

108. Johann Heinrich Wilhelm Tischbein, Familienszene

109a, b. Januarius Zick, Allegorie auf Newtons Verdienste um die Gravitationslehre
und Allegorie auf Newtons Verdienste um die Optik

110. Thomas Lawrence, Charles Manners-Sutton

111. Anton Graff, Bildnis Jakob Ferdinand Freiherr von Dufour-Feronce

112. Johann Martin von Rohden, Tivoli von Westen

113. Joseph Anton Koch, Grotta Ferrata

114. Karl Blechen, Badende Mädchen im Park von Terni

115. Carl Gustav Carus, Neapel mit Monte Somma und Vesuv

116. Wilhelm Ahlborn, Blick auf das neue Palais in Potsdam

117. Wilhelm Brücke, Das Palais Friedrich Wilhelms III. in Berlin

118. Friedrich Wasmann, Blick ins Etschtal mit Kindern auf einem Hügel

119. Karl Rottmann, Sikyon mit Korinth

120. Eduard Karl Steinbrück, Madonna in der Werkstatt-Tür

121. Louis Ammy Blanc, Die Kirchgängerin

122. Ferdinand Georg Waldmüller, Bildnis Baron Moser

123. Johann Wilhelm Schirmer, Gegend bei Terni

124. Jan Christian Schotel, Katwijk

125. Andreas Achenbach, Ebbe

126. Johan Christian Dahl, Nächtliche Ansicht von Dresden

127. Ludwig Richter, Die Kirche zu Graupen in Böhmen

128. Leo von Klenze, Der Domplatz von Amalfi

129. Adolph von Menzel, Krönung König Wilhelms I. in Königsberg

130. Carl Spitzweg, Der Gratulant

131. Carl Spitzweg, Das Ständchen

132. Arnold Böcklin, Triton, auf einer Muschel blasend

133. Hans von Marées, Der Mann mit der Orange

134. Anselm Feuerbach, Selbstbildnis

135. Hans Makart, Bildnis der Frau von Munkacsy

136. Hans Thoma, Gesang im Grünen

137. Wilhelm Leibl, Bauernmädchen

138. Moritz von Schwind, Der Künstler mit seiner Familie

139. Fritz von Uhde, Die Predigt Christi

140. Max Liebermann, Arbeiter im Rübenfeld

141. Ferdinand Hodler, La Vision

142. Wilhelm Busch, Große Herbstlandschaft mit Kühen

143. Carl Schuch, Stilleben mit Äpfeln und Keksdose

144. Camille Corot, Der Teich von Ville-d'Avray am Abend

145. Henri-Joseph Harpignies, Landschaft mit Angler

146. Charles François Daubigny, Im Garten

147. Gustave Courbet, ‚Hirsch in Bedrängnis‘

148. Eugène Boudin, Der Pont Corneille zu Rouen im Nebel

149. Camille Pissarro, Landschaft

150. Théo van Rysselberghe, Bildnis Camille van Mons

151. Henri Théodore Fantin-Latour, Selbstbildnis

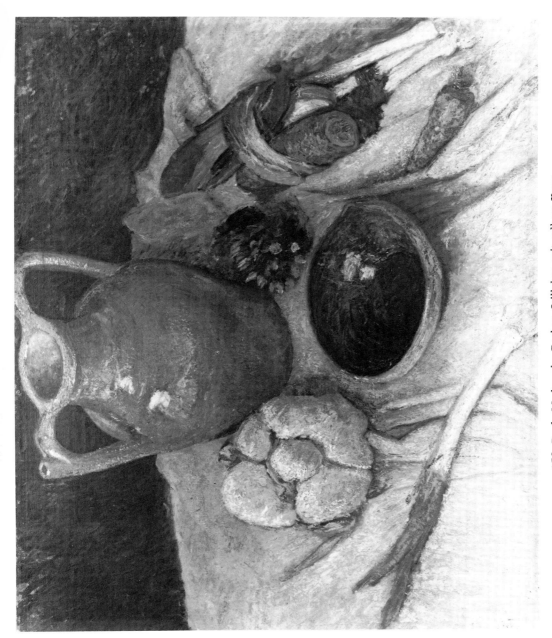

153. Paula Modersohn-Becker, Stilleben mit gelbem Krug

154. Max Slevogt, Papageienmann

155. Lovis Corinth, Frau Luther

156. Max Slevogt, Selbstbildnis

157. Lovis Corinth, Susanna und die beiden Alten

158. Lovis Corinth, Walchensee mit Abhang des Jochberges